图书在版编目（CIP）数据

笨狼的故事 / 汤素兰著. —长沙：湖南少年儿童出版社，2014.6（2017.7重印）
（笨狼的故事：20周年精装纪念版）

ISBN 978-7-5358-6341-6

Ⅰ. ①笨… Ⅱ. ①汤… Ⅲ. ①童话—中国—当代
Ⅳ. ①I287.7
中国版本图书馆CIP数据核字（2014）第029822号

笨狼的故事

策划编辑：吴双英　杨　巧
责任编辑：杨　巧　吴　浩
插　　图：段张取艺（段颖婷　谭婷　粟海燕）
整体设计：段张取艺（段颖婷　张卓明）
质量总监：郑　瑾
出 版 人：胡　坚
出版发行：湖南少年儿童出版社
地　　址：湖南长沙市晚报大道89号　　邮编：410016
电　　话：0731-82196340　82196334（销售部）
　　　　　0731-82196313（总编室）
传　　真：0731-82199308（销售部）
　　　　　0731-82196330（综合管理部）
经　　销：新华书店
常年法律顾问：北京市长安律师事务所长沙分所　张晓军律师
印　　刷：湖南天闻新华印务有限公司
开　　本：880mm×1230mm　1/32
印　　张：6.75
印　　数：84001—94000
版　　次：2014年6月第1版　　印次：2017年7月第9次印刷
定　　价：22.00元

"笨狼妈妈"

汤素兰

TANG SULAN

　　湖南宁乡人。中国作家协会会员，全国政协委员，湖南省作家协会副主席，教授，编审。最早的一篇儿童文学作品写于1984年，发表于1986年，迄今创作四十余部。主要作品有"笨狼的故事"系列，"小朵朵开心奇遇"系列，"小巫婆真美丽"系列，长篇代表作品《阁楼精灵》《奇迹花园》《时间之箭》《我是小丑鱼》等。其笔下的"笨狼"是中国原创童话的经典形象，二十年经久不衰，深受小读者欢迎，她因此被小读者亲切地称为"笨狼妈妈"。

　　汤素兰是新时期以来中国儿童文学创作的代表人物，她在国内屡获嘉奖，曾获第一届和第二届张天翼儿童文学奖、第七届陈伯吹儿童文学奖、冰心儿童文学新作奖大奖、第五届和第八届全国优秀儿童文学奖、第五届和第六届宋庆龄儿童文学奖、湖南青年文学奖、毛泽东文学奖等奖项，曾荣立湖南省政府一等功。

笨狼照片墙

我、笨狼和小读者的美丽故事
——"笨狼的故事"创作二十周年记

开始写《笨狼的故事》的时候，我儿子还不到两岁。我写这篇文章的时候，他正和朋友在加勒比海边玩，拍很多搞怪的照片发在微信上，嘱咐我出门戴口罩，注意安全。因为他现在已经22岁，开始以一个男子汉的身份关心自己的老妈了。

开始写《笨狼的故事》的时候，家里刚装上电话机，我刚学会用电脑写作，我们还没有听说过QQ、博客、微博、微信。

那时是20世纪90年代，人们对即将到来的21世纪充满了幻想，想象新世纪的生活一定不同于旧的世纪——会更新，更好，更快乐。

现在是2014年，新世纪已经过去了十四年，我们的生活是不同于往日了，我们出门更方便快捷，我们通信更方便快捷，我们购物更方便快捷，但我们也失去了一些重要的东西——蓝天，碧水，洁净的空气……

然而令我感到欣慰的是有一样东西没有变——孩子们对故事的喜爱。

《笨狼的故事》最先是在台湾出版的，当年就被《民生报》"好书大家读"推荐，获得了家长和孩子们的好评。1998 年在大陆结集出版时，儿子正上一年级。收到样书之后，儿子把已经听过了许多遍的故事又一口气读完，还要求我给他们班的小朋友每人送一本。我当然立即执行。不只给小朋友们每人送了一本书，我还到他们班义务讲了一堂课：告诉孩子们什么是书，一本书是如何经由作家写作、编辑加工，最后制作出来的。那是我第一次到小学去上课，第一次和儿子以外的读者面对面，既兴奋，又紧张。

十六年过去了，当年的小学生成了大学生，除了我的儿子因为关心我的写作，一直是我忠实的第一读者之外，他们班上其他人也许不再读《笨狼的故事》。但 2013 年春节前，我偶尔在网络上看到一张图片，一个胖乎乎的小男孩举着一张纸，纸上写着自己的新年梦想——想得到《笨狼的故事》这本书。这是新浪"扬帆计划"的记者在湖北淞滋麻水小学拍到的，这个小朋友叫刘钰信。"扬帆计划"是一个号召爱心人士为孩子捐书的公益项目，看到这张图片的人可以用自己的爱心和行动帮助孩子"圆梦"。我立即回复了这条微博，亲自为刘钰信小朋友圆了这个梦。前天我收到一个妈妈的邮件，她说她的女儿特别喜欢我的童话，问我她女儿十岁生日的时候能不能为她签个名。今天我又接到了一个电话，是一所小学的老师打来的，她说她在全校两千多名学生中做了一个调查，问他们最想见到哪位作家，孩子们说，最想见到笨狼妈妈！

是的，刚开始写作《笨狼的故事》的时候，我是一名普通的童话作家，在尝试写不同风格的故事。二十年过去了，我还是一名童话作家，但有了一个属于我的响亮的名字：**笨狼妈妈**！

刚开始的时候，我没有想到《笨狼的故事》会写成这么多本，笨狼会有这么多故事。我虽然喜欢写作，可是我也喜欢读书、旅行，喜欢美食和健身。我还要当编辑，带孩子，照顾家人。时间不够用呀，怎么办？有时候就会偷懒。比如不想写了，我就让笨狼离开森林镇，出门去旅行。可是小朋友老在问：笨狼旅行到了哪些地方呢？他回来了吗？于是，我写了《笨狼旅行记》，告诉小朋友们笨狼离开森林镇以后都到了哪些地方。小朋友又打听：笨狼在家里都做些什么事情呢？他的爸爸妈妈也像我们的爸爸妈妈一样，督促我们做作业，考试一定要考一百分吗？笨狼也要上学吗？于是，我又写了《笨狼和他的爸爸妈妈》《笨狼的学校生活》。读了这几本书之后，小朋友们更来劲了：笨狼的朋友聪明兔呢？他真的有那么聪明吗？胖棕熊和棕小熊呢？他们是怎么刁难笨狼的？于是，我又写了《笨狼和聪明兔》《笨狼和胖棕熊》。

我知道有了这些故事，小朋友们还是不满足。因为每个小朋友心里都有自己的笨狼，都会为他构想很多故事，希望笨狼的故事越多越好。为了满足小朋友们的心愿，我还会一本一本接着往下写……最终会写多少本呢，我也说不准。

二十年了，摆在我们面前的《笨狼的故事》还只有这么几册。但我也并不难为情。因为我是一个喜欢丰富多彩生活的人，我也喜欢写作是丰富多彩的。这就有点像那只钓鱼的小花猫，它并不一门心思钓鱼，有时候会放下钓鱼竿，去追蝴蝶和蜜蜂，去闻花香，去捉蚂蚁。这二十年来，我除了写"笨狼"的故事之外，还写了"小朵朵"的故事，"小巫婆真美丽"的故事，还有许多其他的童话、散文和小说。这些作品和《笨狼的故事》一样，都是我心灵开出的花朵，是送给小读者的爱的礼物。

开始写《笨狼的故事》的时候，我还很年轻，长发飘飘。现在呢，我已经不年轻了，头发也剪短了。从开始到现在，二十年的时间过去了。这么多的时间都去了哪儿呢？我还能重新找回它们吗？时间是一去不复返的，但我庆幸我还可以从我写作的一本本书中找到它们的一些痕迹。这些书里，我分明能看到我儿子懵懂的身影，我初为人母的思考。我生活的阅历，生命的感受，都留在故事里。我回头看这些故事时，常常能忆起当时的情景，仿佛时间又回来了。

　　我也庆幸因为有了《笨狼的故事》，使我有机会和一茬茬小读者面对面，他们对笨狼的喜爱，他们读故事时的快乐，他们天真烂漫的想象，他们送给我的有关笨狼的一张张画，一件件小礼物，他们自己创作的一个个关于小笨狼的故事，都是珍贵的记忆。这些记忆将二十年的时间写成了一个美丽的故事——我、笨狼和亲爱的小读者的故事。

"笨狼妈妈"汤素兰

2014 年 3 月 6 日

MULU
目录

1. 笨狼是谁 ——————1

2. 把家弄丢了 —————7

3. 晾尾巴 ———————16

4. 半小时爸爸 ————22

5. 倒霉的一天 —————26

6. 当售票员 —————33

7. 上学 ———————37

8. 糟糕的发明 ————42

9. 坐到屋顶上 —————47

10. 都准备好了 ————52

11. 奶油淋浴 —————56

12. 画画 ———————63

13. 进城历险 —————67

14. 当警察 —————78

15. 钻石项链 —————84

16. 神速减肥 —————91

17. 冰冻太阳光 — — — — — —99

18. 学游泳 — — — — — — —105

19. 组装电视机 — — — — —111

20. 有用的合同 — — — — —120

21. 电话和门铃 — — — —130

22. 聪明的小偷 — — — — —134

23. 魔法南瓜 — — — — —138

24. 快乐的星期天 — — — —147

25. 篮球赛上的精彩表演 — -152

26. 茶杯里的苹果树 — — — —158

27. 特别的信 — — — — — —163

28. 流行性感冒 — — — — — —167

29. 挂在墙壁上的鸟窝 — — —175

30. 孵太阳 — — — — — — —179

31. 把雪人带回家 — — — —187

32. 煮雪糕 — — — — — — —193

33. 不说再见 — — — — —196

1. 笨狼是谁

狼妈妈生了一个小宝宝。给小宝宝取个什么名字好呢？狼爸爸和狼妈妈怎么也想不出来。恰好狼外婆来看小宝宝，外婆说："哎呀，笨呢，狼家的孩子当然叫狼嘛！"就这样，名字有了：笨呢——狼，笨狼。

笨狼的爸爸和妈妈出门旅行去了，他们喜欢过浪漫的生活。他们问笨狼愿不愿意一块儿去。

笨狼问："外面有山吗？"

"有。"爸爸妈妈回答。

笨狼又问外面的山上有树没有，树上有鸟没有，树下有草地没有，草地上有小溪没有，小溪里有天空的影子没有。

爸爸妈妈都回答："有。"

笨狼皱起了眉头："那不跟这儿一样吗，还到外面去干什么？"

爸爸听了，觉得笨狼说得有道理，差点放弃了出门的打算，可是妈妈吵得那么凶："不去，我的旅游鞋不就白买了吗？你不跟我去，那我出去就一辈子不回来了。"

妈妈气呼呼地一个人买了机票，带上行李，穿上旅游鞋，走了。她的旅游鞋可真没白买。

这下把爸爸急坏了。他怕妈妈真的不回来，就赶紧出门去追。可怜的爸爸，走的时候，连鞋带都忘了系，结果，跨出第一步还没事，第二步却摔了一个跟头，把腿摔断了，不得不在医院里待上三个星期。

笨狼把爸爸送进医院。笨狼直着嗓子叫："摔了一跤，摔伤了！医生快来呀！"

满大楼的医生都听见了。医生还以为是笨狼摔了一跤呢。他们放下手中的活儿，全往笨狼这儿跑。

矮矮胖胖的青蛙大夫问："怎么摔的？"

笨狼说："踩着自己的鞋带摔的。"

"摔了哪儿？"

"我只看见左脚踩了右鞋的鞋带，倒下去的时候，右脚又踩了左鞋的鞋带。摔了哪儿，得问我爸爸。"

青蛙大夫鼓起大眼睛："乱弹琴，你自己不知道，你爸爸怎么知道？"

笨狼鼓起小眼睛："我爸爸当然知道，我当然不知道。"

医生们这才明白，原来是狼爸爸摔了一跤。

狼爸爸一声不吭地坐在医院门口。因为他的腿断了，上不了台阶。

青蛙大夫蹦过去问他："摔了哪条腿？"

"右腿。"

青蛙大夫检查狼爸爸的腿："痛吗？感觉怎么样？这儿呢？这儿痛吗？"

狼爸爸什么也不说。青蛙大夫问得烦了，吼起来："喂，我问你的感觉呢！"

狼爸爸也吼起来："我不管什么感觉不感觉的，我只管要治好我的腿！"

狼爸爸的腿还没好利索，就拄着拐棍追狼妈妈去了。留下一座白色的小木屋和屋前那高高的大枫树、苹果树，还有长圆叶子、结红果子的小树陪着笨狼。

一个人的日子孤零零的，不好过。爸爸走后的头一天，笨狼就发现自己不见了，吓得心差点儿从嘴里跳出来。

事情是这样的：

以前，每天早上，爸爸妈妈总是喊："笨狼，起床洗脸！""笨狼，吃早点！"笨狼总是响亮地答应一声后，开始起床、洗脸、吃早点。

这天早上，笨狼照样起床、洗脸、吃早点。但是，他觉得有些地方不对头。

哪儿不对头呢？笨狼想呀想呀，忽然，他吓了一跳："笨狼不见了！"

笨狼想喊，但没有喊出来，因为，就在他张大嘴巴的时候，一块面包趁机滚了下来，噎住了他的喉咙。

虽然笨狼使劲把面包咽下去了，但讨厌的嗝却一声接一声，响得不得了。

嗝声传得那么远，把住在远处的聪明兔吵醒了。

聪明兔是笨狼的好朋友,他想:糟了,笨狼出什么事了!

聪明兔赶来,把笨狼送到青蛙大夫那儿。

青蛙大夫给笨狼一杯水,让他分三口喝下,马上就把嗝治好了。

笨狼向青蛙大夫鞠个躬,说了声:"谢谢青蛙大夫!"就又慌慌张张朝家里跑。

聪明兔紧紧跟着他。

笨狼打开衣柜找找,没有;爬上阁楼找找,没有。

床底下没有,窗子上也没有。

笨狼还在找呀找。

聪明兔看到笨狼忙得满头大汗,很想帮帮忙,忍不住问道:"笨狼,你找什么?"

"我找笨狼呀!"笨狼说。

接着,他一拍脑门,对聪明兔说:"你刚才说什么来着?再说一遍!"

聪明兔重复了一遍刚才提出的问题。

"哎,我在这儿呢!"笨狼响亮地答应一声,眉开眼笑,"我把自己找到了!"

聪明兔弄明白了是怎么一回事,就给笨狼做了一块小牌子，让他挂在胸前，上面写着"笨狼"两个字；还送给他一面小镜子，挂在墙上，让他每天早上起床以后对着镜子照一照。

"只要镜子里有一个笨狼，你就还好好地住在你的小木屋里，没弄丢。"聪明兔说。

"那，我怎么知道我的小木屋没有弄丢呢？"笨狼不放心地说。

聪明兔又在笨狼的小木屋上钉上一块小牌子，写上"笨狼寓"三个字。

好了，现在你知道笨狼是谁了吧？而且，只要他在森林里一露面，你第一眼就能认出他来，是不是？

2. 把家弄丢了

聪明兔在笨狼的房子上钉牌子的时候，"叮叮当当"的声音把正在鼠洞里睡觉的长尾鼠惊醒了。长尾鼠伸个懒腰，揉揉眼睛，走出黑咕隆咚的地洞。

地面上阳光灿烂，晃得长尾鼠的眼睛有点儿花。他躲在草丛里，看着笨狼的房子。

长尾鼠记得他还很小的时候，就渴望有一座这样的房子。白色的小木屋，明亮的小木窗，窗子上挂着树叶编成的窗帘，春夏秋冬不停地换。

那时候，长尾鼠爷爷还夸长尾鼠是个有志气的小老鼠。长尾鼠爷爷奖给小长尾鼠一把谷粒儿，说："小长尾鼠，

赶快学本领，等你长大了，自己建一座木头房子吧。"

小长尾鼠吃着谷粒儿长成了大长尾鼠。他也真学到了不少本领。因为不停地吃东西，他的牙齿磨得特别尖利，个子也长得特别大。猛地看起来，你还以为他不是老鼠，而是小猪。他偷东西的本领十分高强，只要他看上了什么，心里想偷，就一定能偷到。就因为有了这个本领，他发觉其他的本领都不再需要了。

长尾鼠在草丛里眯眯眼睛，马上做出了一个决定：把笨狼的房子偷到手。

牌子钉好了。聪明兔和笨狼站在房子前，聪明兔说："好啦，你再也不用担心这座房子了！"

笨狼满意地点点头。

长尾鼠把灰胡子翘一翘，轻蔑地说："哼，咱们等着瞧！"

第三天，天下起了大雨。雨从早上下起，直到中午还没有停。

雨点落在树叶上，"沙沙沙"。雨点敲打着小木屋，小木屋"叮叮当当"，好像在唱歌。

笨狼喜欢这样的雨天。

笨狼趴在窗台上，出神地看着檐下的水沟。檐水点点，滴在水沟里，"噗"的一声轻响，就变成圆圆的水泡了。一个个水泡在水沟里快乐地打着旋儿，像是对笨狼眨巴着圆鼓鼓的眼睛。

笨狼想捉住一个水泡，让它住进小木屋里，和自己做伴。但是，那些可爱的水泡一到了笨狼的手里，就像魔法师一样忽然不见了，只留下一丝丝凉凉的水迹在笨狼的手里，让他歪着脑袋，盯着自己的手，费劲地去猜想。

就在这个时候，一个流浪汉来到了笨狼跟前。他是一只饿得精瘦，又被雨水淋得透湿的长尾巴老鼠。他又冷又饿，哆嗦着嘴唇，可怜巴巴地说："让我进屋暖暖身子，行吗？"

长尾鼠的胡子很长很长，笨狼看着他的长胡子，认真地说："你起码有一百岁了吧？"

"是呀是呀。"长尾鼠听笨狼这么说，顺便弓起背，使劲儿咳嗽两声。

笨狼让长尾鼠进了小木屋，给他吃了牛奶和面包，还让他睡在软软的小床上暖身子。

笨狼一点也不知道这个家伙就是长尾鼠。下雨的

时候，长尾鼠正在地洞里睡觉。等他一觉醒来，才发现地洞里的水已经淹着他的脖子了，藏在洞里的粮食，也被雨水冲了个精光。

长尾鼠从地洞里逃出来，叹了一口气："唉，我只好去偷那座小木屋了！"

他穿过草丛，雨点像鞭子一样抽在他身上。他咬牙切齿地骂道："这鬼天气！"

雨终于停了。太阳露出笑脸，照得门前的树叶闪闪发亮。

长尾鼠在床上躺得舒舒服服的，一点想走的意思也没有。他还把笨狼的牛奶和面包搬到床上，"吱嘎吱嘎"吃开了。

笨狼看了很生气，他说："牛奶和面包是我的！"

长尾鼠说："又没写你的名字，你怎么知道是你的？要真是你的，你喊它一声，看它答不答应你。"

笨狼不知道长尾鼠是在耍花招，他真的大声喊："牛奶！牛奶！面包！面包！"

牛奶和面包静静地散发着香味儿，不搭理笨狼。

笨狼咽一口口水，抓抓头皮，忽然变得聪明起来。

他问长尾鼠："面包和牛奶上也没写你的名字，怎么知道是你的呢？"

"牛奶和面包都在我的手里，不是我的还会是谁的呢？"长尾鼠答道，"你要不信，我叫它们一声，它们就会答应一声。"

长尾鼠叫一声"面包"，面包"吱嘎"答应一声，塞满了长尾鼠的嘴巴。

长尾鼠叫一声"牛奶"，牛奶"咕咚"答应一声，滚进了长尾鼠的喉咙。

笨狼实在饿极了。看着长尾鼠大口大口地吃东西，他的口水就像关不住闸的水坝一样往下淌。笨狼没办法，只好跟长尾鼠借一小片面包和半杯牛奶，并且答应第二天还他一整块面包和满满一大杯牛奶。

天黑了，笨狼想上床睡觉，他对长尾鼠说："你快走吧，我要睡觉了。"

"我还没让你走，你怎么反而让我走？这床是我的。"长尾鼠说。

"不对，床是我的。"笨狼说。

"写着你的名字吗？"长尾鼠问。

　　笨狼围着床仔细看了三遍，没有找到"笨狼"两个字。当然，他也没找着"长尾鼠"三个字。笨狼就说："也没有你的名字呀！"

　　"现在睡在床上的是笨狼还是长尾鼠呀？"

　　"是长尾鼠。"

　　"长尾鼠睡的床当然是长尾鼠的喽！我是一只已经一百岁的长尾鼠，我说的话肯定错不了。"长尾鼠说。

　　笨狼想了想，觉得长尾鼠说得有道理。他想弄明白自己的床到底哪儿去了，但眼皮打起架来。他只好趴在地板上，呼呼地睡了。

　　第二天早上，笨狼出门散了一小会儿步，转身回家时，发现自己的家没了。

　　还是那棵高高的大枫树，还是那座白色的小木屋，只是挂在墙上的小木牌和木牌上"笨狼寓"三个蓝色的大字不见了。

　　笨狼小心地敲敲门，门"吱呀"一声开了，长尾鼠从门缝里探出尖尖的嘴和长长的灰胡子。

　　"这是笨狼的家吗？"

　　"不是，这是长尾鼠的家。"长尾鼠一边回答，一边将一块木牌挂在墙上，"你看看这上面的字——老鼠寓。"

笨狼仔细地看了又看，还伸出一根指头，跟着上面的字，一笔一画地写了一遍——没错儿，是老鼠寓！

笨狼礼貌地说声对不起，掉头跑进森林，急急忙忙去找自己的家。

笨狼在林子里转了一圈，又回到小木屋前，再转一圈，还是回到小木屋前。一棵高高的大枫树，一座白色的小木屋，都没错儿，可是，墙上的牌子却写着"老鼠寓"。

这儿是长尾鼠的家，这大枫树和小木屋都是长尾鼠的，笨狼得去找自己的大枫树和小木屋。

笨狼在森林里转了二十圈。他仔细地回想着自己家的模样，回想着自己散步时走过的路和路上的一草一木，每次都差点儿就要找到自己的家了，可是一停住脚步抬起头来，眼前还是"老鼠寓"三个字。

笨狼伤心极了。他又饿又累，坐在大枫树下发呆。

"笨狼，你在这儿干什么？怎么不回家？"聪明兔蹦蹦跳跳地跑过来，关心地问。

"我把家给弄丢了。"笨狼哭着说。

聪明兔指着小木屋："那不是你的家吗？"

"那是长尾鼠的家。长尾鼠已经一百岁了，一定是我还没出生的时候，他就住在那儿了。"

聪明兔看见墙上的木牌和木牌上的字，便什么都明白了。

"你等着，我帮你把家找回来。"聪明兔说。

聪明兔叫来警犬阿黄，"咚咚咚"，一起敲响了小木屋的门。

长尾鼠正躺在床上，大口大口地喝着牛奶吃着面包呢。听见敲门声，他神气地问："谁在敲门？"

"警犬阿黄。"

长尾鼠吓得一个跟头掉到了床底下。他定定神，哧溜哧溜跳到窗台上，想从那儿逃走。

"哪里逃！"警犬阿黄一伸手，转眼之间就把长尾鼠抓住了。

长尾鼠不服："我的事你管不着！你不知道狗咬耗子是多管闲事吗？"

阿黄说："这事我就是要管！你霸占笨狼的房子，我们要判你六年监禁。"

"警察先生，你不能这么做。你知道，一只老鼠的寿命一般只有三年，我可不能坐两辈子牢哇！"

"你不是已经一百岁了吗？"笨狼睁大眼睛，惊奇地问。

"我骗你的呢！"长尾鼠神气地扬起脖子。

笨狼更惊奇了："哎呀，你撒谎还这么神气呀！"

警犬阿黄把长尾鼠带走了。聪明兔对笨狼说："好了，你可以回家了。"

但是，笨狼不肯走进小木屋，他说："你看这三个字，这里明明是老鼠的家嘛，我可不占老鼠的房子。"

笨狼又走进森林，找自己的家去了。他对聪明兔说："我一定能找到的，你别担心。"

机灵的聪明兔摇摇头，咧开红红的三瓣嘴笑一笑，从口袋里摸出了一支蓝色粉笔。他把木牌上的字擦干净，用蓝色粉笔重新写了三个字。

当笨狼从森林里转了一圈，又回到大枫树下时，他高兴得跳了起来：眼前是一座美丽的小木屋，墙上有三个好看的蓝色大字——笨狼寓。

"这才是我的家呀！我说了我一定能找到的嘛！"笨狼骄傲地说。

3. 晾尾巴

雨后的森林很美丽。草丛中，枯叶下，藏着一汪汪积水，不小心踩上去，"吱"，溅得一身尽是泥点水点。哈，弄脏了吧？不要紧，溪涧里的水"哗哗"流淌，跳进去，你就可以洗得干干净净。

笨狼来到森林中。他小心地寻找着水凼，然后，一个"不小心"踩上去，猛踩一脚，水凼里的积水四散飞溅，像是下起一阵泥星雨。

笨狼在泥星雨中蹦蹦跳跳，大喊大叫："哈，一个"不小心"，踩着一个水凼，两个"不小心"，踩着两个水凼……"

几个不小心之后，笨狼把自己弄成了一只小泥狼。

笨狼对自己说："笨狼呀，你这个样子太脏了，到小溪里去洗洗吧！洗得干干净净，才准回家。"

"好吧。"笨狼朝小溪走去，边走边对自己说，"要是我把全身都弄湿了，你可别怪我。"

小溪里的水哗哗响着，急急忙忙往笨狼身上扑。笨狼说："这些水好喜欢我啊！"他和溪水玩起来。"我也好喜欢你们啊！"他捧起一捧水从头上往下浇。

在溪水里玩够了，笨狼抖掉身上的水珠，爬上岸来。

笨狼有一条毛茸茸的大尾巴。大尾巴拖在屁股后面，弄湿了就很不容易干。

太阳很大，风儿很轻。家家户户在门前的树杈上牵根绳子，晾晒床单和衣物。

笨狼想：要是把尾巴也摘下来，搭在树枝上晾着，只要一会儿，尾巴就晒干了，多好。

没有了湿漉漉的尾巴拖着，翻起跟头来多方便呀。

笨狼翻了一个跟头。正要翻第二个，看到草地上有一队小蚂蚁在做体操。一只小蚂蚁分不清左和右，别的蚂蚁伸左腿时，他伸右腿，结果绊倒了别人，自己也摔了跤，真好笑。

笨狼不翻跟头了，他趴在草地上，看小蚂蚁们做体操。

小蚂蚁们做完体操，排着队回家去了。一会儿，又来了五只蟋蟀，带着小提琴，在草地上开音乐会。金蛉子站在中间独唱，十只穿超短裙的萤火虫伴舞。

笨狼看得入了迷，一点也不知道太阳早就回家去了。现在，月亮姐姐正划着小船，在天上钉银钉子。

等金蛉子唱完最后一首歌，跟笨狼说了再见，笨狼才想起该回家了。

笨狼到小树上去取尾巴，尾巴不见了，树上树下全没有。

尾巴不见了，这可怎么办？你要知道，笨狼是多么喜欢他的大尾巴啊！

"我的毛茸茸的尾巴啊！"笨狼坐在草地上，大声

地哭。他的哭声那么大,仅仅哭了一声,草地上和森林里的所有居民,一下子就都知道:笨狼的尾巴不见了。

大家都想帮助笨狼。

聪明兔从爷爷留下的旧皮箱里找到了一根兔尾巴。"送给你吧!"聪明兔大方地说。

笨狼摇摇头,兔尾巴太短了,笨狼不要。

小蜥蜴跑来了,手里拎着一条蜥蜴尾巴。这是去年被一块石头砸断的,今年他已经长出了新尾巴。

笨狼摇摇头,蜥蜴尾巴太小了,笨狼不要。

"别哭了，也许，你也像蜥蜴一样，明年就会长出一条新尾巴呢！"小松鼠安慰笨狼。

听了这话，笨狼马上不哭了。但是，明年太远了，笨狼现在就想长出一条新尾巴。

为了使尾巴快快长，笨狼想出了好主意："挖一个坑，把屁股埋进去，浇上水，施上肥，最好呀，还洒上一点快速生长剂。"

大家都觉得笨狼说得有道理，聪明兔种胡萝卜的时候就是这么做的，地里长出的胡萝卜又大又肥。

坑挖好了，肥备好了，快速生长剂也买来了。现在笨狼该站起身，坐到坑里去了。

笨狼一边往坑里坐，一边说："可别放多了肥料，我不愿意我的尾巴长得比我的肚子还大。"

就在这时候，小蜥蜴发现，笨狼的屁股上拖着一条毛茸茸的长尾巴。

"看，你的尾巴不是好端端的吗？"小蜥蜴说。

笨狼摇摇尾巴，哦，一点不错，这尾巴正是自己的。

笨狼抓抓耳朵，想呀想："我在小溪里把尾巴弄湿了，我觉得不舒服，我就想，要是能把尾巴晾起来就好了，我要把尾巴晾在小树上，让太阳晒干……"

　　"你只是那么想，并没有真的把尾巴晾起来，对吧？"聪明兔说。

　　"对呀！"笨狼想明白了，好高兴。

4. 半小时爸爸

今天笨狼起得特别早。他照照镜子，看见镜子里有一个笨狼。他走到房子外面，看见小木屋上钉着"笨狼寓"的牌子。他摇摇尾巴，发现自己的大尾巴像大扫帚一样可爱。

好啦，没什么可担心的了。笨狼决定到住在湖边的花背鸭家去看看。

有一次，花背鸭到笨狼家来玩，她围着笨狼的小木屋走了一圈，撇撇自己的扁嘴巴，说："我真不理解！这里没有湖，没有塘，连个水池子也没有，你究竟是怎么过日子的？"

笨狼问："那你是怎么过日子的呢？"

"我吗？"花背鸭骄傲地说，"我的房子建在湖边。有时候，从早到晚我都待在湖里。"

"你吃饭怎么办呢？"

"吃饭也在湖里。"

"饭桌摆在哪里呢？"笨狼担心地问。

"饭桌？嘎嘎嘎嘎嘎！"花背鸭大笑起来，"根本不用饭桌，我喜欢吃新鲜的！"

花背鸭说，湖里有的是鱼虾，什么时候想吃，什么时候下湖去捕就行了。

原来花背鸭是这样过日子的，笨狼可真没想到！

湖边长满青青的芦苇。风在湖上走过，留下一串串银闪闪的脚印。

笨狼沿着湖一边走一边唱："我是一只来自北方的狼……"

花背鸭的小草屋坐落在芦苇丛中。今天花背鸭没到湖里去捕鱼，而是在家里孵她的第十个孩子。花背鸭在蛋上已经坐了整整四个星期了。现在她又累又乏，很想到湖里去洗个澡，吃点东西。

笨狼看见花背鸭，马上不唱歌了。他蹲在花背鸭家门前，热心地问："我能帮你什么忙吗？"

"嗯，也许你能替我照料一下我的小宝贝。"花背鸭高兴地说。

"就是这只蛋吗？你的意思该不是要我也坐在它的上面吧？"

"当然不是让你坐在它上面，你只要替我看着它就行了。"花背鸭说。

笨狼认真地守着那只蛋。

一会儿，蛋壳破了，小鸭毛茸茸的脑袋钻出来，把笨狼吓了一跳："我的天，一只蛋里怎么突然钻出来一只小鸭子呢？"

"妈妈！妈妈！"小鸭子朝笨狼"嘎嘎"叫。

"我可不是你妈妈。"

"爸爸！爸爸！"

"我也不是你爸爸。"

"哇……"小鸭子哭了。

笨狼不愿意让小鸭子哭，他说："好吧，我是你爸爸。"

小鸭子高兴极了，他说："爸爸，我饿了，我要吃的，我要吃的。"

笨狼扒开草丛，挖蚯蚓给小鸭子吃。

"我是一只来自北方的狼……"笨狼边挖边唱。

"我是一只来自北方的狼……"小鸭子也跟着唱。

花背鸭回来了，她打老远张开怀抱："宝贝！宝贝！"

"爸爸，那是谁？"小鸭子问。

"那是你妈妈。"笨狼说。

小鸭子高兴地扑进了妈妈的怀里。

花背鸭带着小鸭子朝深深的湖水里游去。小鸭子对笨狼招手："爸爸，你也来游泳呀！来捉小鱼给我吃呀！"

笨狼说："对不起，我不是你的爸爸，我也不会游泳。你想吃小鱼，我下次钓给你吃。"

笨狼跟花背鸭和小鸭子说了声"再见"便走了。

小鸭子边划水边唱："我是一只来自北方的狼……"

这回，可把花背鸭吓了一跳。

5. 倒霉的一天

　　笨狼因为记着要钓鱼给小鸭子吃，这些天晚上睡觉都尽做钓鱼的梦。

　　前天晚上，他梦见自己钓了一条很大的鱼，怎么拖也拖不动，只好去叫聪明兔来帮忙。

　　深更半夜，聪明兔家的门上突然响起一阵"嘭嘭"声。聪明兔不知道出了什么事，吓得急忙抄起一根棍子，躲在门背后，哆哆嗦嗦地问："谁……谁呀？"

　　"是我，笨狼！"门外的声音说，"我钓到了一条大鱼，你快来帮我拖啊！"

　　聪明兔放下棍子打开门，哪里有什么大鱼啊，只有笨狼戴着睡帽站在月光下。再仔细看，他的两眼还没睁开。瞧笨狼这梦做的，亏得他运气好，在森林里跑那么远，没摔着！聪明兔摇着笨狼："你醒醒！"白费力气！笨狼正在跟梦中的大鱼较劲，怎么也叫不醒。聪明兔只好用小板车把他送回家。

昨天晚上，笨狼梦见自己钓到了很多小鱼。可是，那些小鱼不等笨狼用网去兜，又全都摇摇摆摆游走了。笨狼说："喂，我已经把你们钓到鱼钩上了，你们怎么还跑呀？"

鱼儿们吐着水泡，跳起来对笨狼说："哼，我们就是要跑！"

笨狼生气地想：哎呀，这些鱼怎么一点规矩都不懂呢？上了人家的鱼钩就不许再跑了嘛！我要问问聪明兔去，看究竟是怎么回事。

半夜里，聪明兔家的门又被拍得"嘭嘭"响。这一次，聪明兔不紧张了。

聪明兔打开门，问道："笨狼，那些鱼又怎么了？"

"它们全跑了。"笨狼说，"挂在鱼钩上的鱼是不许跑的嘛，它们一点规矩也不懂！"

聪明兔又用小板车把笨狼送回家。聪明兔一边推着小车子，一边说："笨狼，你明天去钓鱼吧。你要是白天不去钓鱼，晚上我就不得不陪着你钓了！"

第二天，笨狼恰巧没什么事情可做，就决定到湖边去钓鱼。

报纸上说，钓鱼是一项休闲活动。从事休闲活动当然得穿上休闲服。笨狼有一套很好看的休闲服，那是一件白色的背心和一条红色的灯笼裤。穿上这套休闲服，笨狼就是森林里最潇洒的小伙子。

笨狼找呀找，就是找不着那套好看极了的休闲服。

床底下有五只袜子，但都不能配上对；在大衣柜里找到了一只鞋，好不容易在厨房的地板上找到了另一只，不过挺可惜，两只鞋都是左脚的；后来，在一个破衣架上找到了一条很好看的花短裤，在门角落里找到了一件很不好看的花上衣。笨狼把这些东西胡乱往身上一套，扛着钓鱼竿，准备出门去钓鱼。

这时候，笨狼往墙上的镜子里看了一眼。幸亏看了这一眼，笨狼才找到了他那套好看的休闲服。

原来它们就穿在笨狼的身上。

笨狼把花上衣和花短裤脱掉，白背心和红色灯笼裤就全露出来了。

笨狼扛着钓鱼竿，满意地走出小木屋。

经过胖棕熊的糖果店，笨狼往墙上的日历牌上看了一眼：日历牌是黑色的，上面写着十三日，星期五。

"今天是黑色星期五，不吉利的日子，千万别出门。"尖嘴狐狸坐在阳台上晒太阳，看见笨狼，就大惊小怪地喊。

笨狼听见喊声，停住脚步，问尖嘴狐狸："我已经出门了，怎么办呢？"

尖嘴狐狸闭上双眼，阴阳怪气地回答："你自己的事情，自己拿主意。"

"自己拿主意就自己拿主意。"笨狼说，"我装作没有出门一样，不就行了吗？"

笨狼马上扛着钓鱼竿往回走，但他走得与平时完全不同。他的脸没对着家的方向，而让后脑勺儿对着。笨狼是一步一步退着走的。

走了不到十步，笨狼撞在一根电线杆子上，后脑勺儿鼓起一个大包。

走出二十步，钓鱼竿钩住了松鼠小姐的晾衣绳。笨狼没发觉，还是一个劲儿地往后退，往后退。

退到最后，钓鱼竿像一支搭在绷紧的弯弓上的箭，带着笨狼飞出去，一直落到老远老远的湖里，溅起朵朵水花。

"救命呀，救命！"笨狼在水里挣扎。

花背鸭和小鸭子飞快游过来，把笨狼拖到岸上。

笨狼说："花背鸭，快带着小鸭子回家吧。今天是黑色星期五，不能出门。"

花背鸭说："我才不信这一套呢！我劝你也别信，坐下来钓鱼吧。"

"我本来是要到这儿来给小鸭子钓鱼的，但尖嘴狐狸说今天不能出门，所以，我就不能出门。"

他又一步一步朝家里退去，还对花背鸭说："我没有出过门，也没有掉进湖里，你也没有见到我，我也没有看见你，我们俩都没到湖边来。"

花背鸭看着笨狼走路的样子，非常担心。她说："笨狼，小心点，后面有一条沟！"

提醒了也没用，笨狼反正不转过头去看一看，结果，他摔进了沟里。

笨狼从沟里爬出来，揉着摔痛的腿，对花背鸭说："你现在相信了吧？今天确实是个倒霉的日子。你看，我刚才掉进湖里，现在又摔进沟里。我要快点回家去，再不回家，说不定还会发生什么更倒霉的事呢。"

笨狼终于退回到了小木屋门口。他刚要推门进去，转念又想：我千万不能从门口进去。因为我平时总是从门口回家的，今天是星期五，得跟平时不同，才会像没有出过门一样。

笨狼要从窗口爬进去。

腿疼得厉害，浑身又湿漉漉的不舒服，但这都没难倒笨狼。他终于从窗口爬进去了，只不过打碎了三块玻璃。

笨狼进屋后想把门打开，这才发现：原来门是从

外面锁着的。

没办法，他不得不又从窗口爬出来，掏出钥匙，把房门打开。

唉，真是个黑色的星期五。

笨狼没有叹气，他说："我现在回家了，真高兴。"

6. 当售票员

森林里有一条小河，小河上有一只小渡船，管船的是小鹿和胖猴。

渡船上有一行红色的大字，写着：限载十只动物。

小鹿只会数一，胖猴只会数二，每次有动物要过河，小鹿就数一只、一只……胖猴就数二只、二只……结果谁也不知道究竟有没有超过十只，结果谁也不敢过河。

有一天，笨狼在森林里捡到了一本算术课本，这是一个粗心的男孩跟爸爸妈妈到森林里来野营的时候丢失的。

　　课本里有胖0、瘦1和其他八个阿拉伯数字兄弟，还有加、减、乘、除。笨狼看了好一会儿，什么也没看明白。他看到胖0圆圆的，瘦1高高的，怪有趣，就随手把它俩塞进了衣袋。

　　古榕树下，黄牛正在教双胞胎猫咪学数数："我这里有两条小鱼，你俩各吃一条，还剩几条？"

　　双胞胎猫咪摇摇头："不知道！"

　　黄牛问笨狼："你知道吗？"

　　笨狼将右手从口袋里抽出来，挠挠头。

　　"对，是0。笨狼真聪明！"黄牛说。

　　原来，笨狼的右手正好拿着胖0！"我这里有三条小鱼，你俩各吃一条，还剩几条？"黄牛问双胞胎猫咪。

　　双胞胎猫咪摇摇头："不知道！"

　　黄牛问笨狼："你知道吗？"

　　笨狼将左手从口袋里抽出来，挠挠头。

　　"对，是1。笨狼真聪明！"黄牛说。

　　原来，笨狼的左手正好拿着瘦1！

　　"笨狼，我再问你，五个苹果加五个苹果是多少？"黄牛问。

笨狼用双手挠着头，左手上有一个瘦1，右手上有一个胖0，不多不少，正好是10！

笨狼会数十个数，真了不起，森林里的动物都知道了。大家要笨狼到船上去当售票员，负责数数。

这可不是闹着玩的，要是数错了，船就会沉到水底去。

笨狼把算术课本捡回家，认认真真学数数。这一回，他把胖0、瘦1和另外八个阿拉伯数字一一记在脑子里。笨狼真的学会了数十个数！

笨狼当上售票员以后，动物们就都能安全过河了。只有一次出了点问题。

那天，因为在城里工作的警犬阿黄急着过河去办案，他一到船上就催着："快开船，快开船！"笨狼匆匆忙忙清点乘客，结果只顾数别人，忘了把自己也数进去。船到河中，直往下沉，大家吓得脸都白了。笨狼倒很镇静，他说："大家别慌，都站好了，让我再数一遍，我保证，要是没有超过10，船就不会沉。"

笨狼站在船头，使劲数起来："1、2、3、4……"

其实这会儿，河水已经漫过了船头，快要漫到笨狼的脚脖子了，但笨狼没有发觉。警犬阿黄只得提醒他："笨狼，河水快要漫到你的脚脖子了！"

"真的吗？"笨狼回头去看，脚下没站稳，"扑通"一个跟头掉进河中。

笨狼掉得正是时候。他一掉到河里，船就猛然间浮出河面，再没有往下沉。

从这以后，笨狼每次数数的时候，总是一开始就把自己数进去。

笨狼很喜欢这份工作。可惜的是，没过多久，河上造了一座桥，动物们都从桥上过河，就再也用不着渡船和售票员了。

笨狼依然留在森林里，他跟着大家在桥上走过来走过去，开心极了。

7. 上学

笨狼没事就翻翻那本捡来的算术课本。课本上画着许多香蕉、苹果、大鸭梨……

"聪明兔,你说说看,书上为什么要画这些好吃的东西呢?"笨狼问。

"为了让学生识字、数数呗。"聪明兔说,"老师怕学生不明白,总是喜欢打比方。1加1等于几呀?不知道?老师就打个比方:你有一个鸭梨,再给你一个鸭梨,现在有几个了?"

原来学校里的老师就是这样教学生的,怪不得学校里总是挤满了学生。太好了!老师要是问我2加2

等于几，老师就会先给我 2 个鸭梨，再给我 2 个鸭梨！哈，我要这么多鸭梨干什么？又吃不完，我要对老师说：再加 2 个苹果吧，苹果我爱吃！

笨狼美美地想着，来到了学校。

真不凑巧，这堂课学校不教加法，而是搞大扫除。

老师递给笨狼一把扫帚，说："把草坪打扫干净。"

笨狼在草坪里舞开了大扫帚。

草坪里有一棵树。树上的叶子有的绿有的黄。每当一阵风吹过，黄叶"沙沙沙"轻轻飘落。笨狼在草坪里来来回回不停地扫。因为只要风儿不停，草坪里就总有几片落叶。

风停了一会儿。草坪上终于干净了。笨狼扛着扫帚离开草坪。

刚走出五步，又起风了。风摇着树枝，枯黄的叶子又落下几片。笨狼只好又扛着扫帚往回跑。

这样来来回回地跑了十多趟。笨狼累得喘不过气来。他双手拄着扫帚，望着大树。

"这样不行，我得想个办法，把树上的叶子全弄下来。"

笨狼抱着树干拼命摇。叶子像雨一样往下落。

地上积了厚厚一层叶子。笨狼高兴地想：这下好了。不只黄叶子全被我摇落了，绿叶子也全被我摇落了。

把地上的叶子打扫干净后，笨狼抬起头一看，不好，在最高的枝丫上，还挂着最后一片黄叶。笨狼抱着树干猛摇，那片叶子就是不落。笨狼跳起来用扫帚打，树太高，笨狼太矮，根本够不着。怎么办呢？

干脆别管它了吧！折腾这么久了，该休息啦。笨狼可不这么想，笨狼下定决心，不管三七二十一，一定要把这片叶子弄下来。他"噔噔噔"跑到学校里，扛来了一架长梯子。笨狼搭起梯子爬到树上，终于把那片叶子摘掉了。

老师来检查，看到草坪里干干净净的，表扬笨狼："草坪上一片叶子也没有，不错！"

笨狼提醒老师："不只地上没有一片叶子，您看，连树上都没有一片叶子！"

老师抬起头，果然看到一棵光秃秃的树。

笨狼坐在小朋友中间，听老师讲课。

这节课还不是教加法，而是学词语。哎呀，学校里的加法要留到什么时候才教嘛。鸭梨放久了会烂的！笨狼有点坐不住了。

这时，老师用红色粉笔在黑板上写了"苹果"两个字，告诉大家说："这是苹果。"

苹果？这才不是苹果呢！

"苹果是圆圆的、红红的、甜甜的。"笨狼站起来说。

"是呀，笨狼说得没错，我们都吃过苹果，知道它是什么样子。"其他的学生也齐声说。

老师生气了："这是'苹果'两个字，又不是真正的苹果。"

"为什么苹果不是真正的苹果呢？"笨狼问。

"是呀，不是真正的苹果，我们学了又有什么用？"别的同学又一齐说。

"唉，跟你们说不清楚。算了，我们不学词语了，还是讲故事吧！"

于是，老师讲了小红帽的故事。孩子们安安静静地听着，听得非常认真。忽然，一个尖厉的嗓子愤怒地抗议道："不对！这全是谣言，我根本就没吃过小红帽！"

"也许是你爸爸吃的！"一个小朋友说。

"我爸爸可好了，他不会做这种事！"笨狼马上回答。

"也许是你爷爷。"

"也可能是你太爷爷呀。"

笨狼想了想，不再吭声了。因为他确实不知道爷爷或太爷爷做没做过像吃小红帽这一类的坏事。

老师本来想告诉笨狼故事并不一定都是真的，又怕他不明白，就说："好了，现在我们不讲故事了，我们去上体育课吧！"

笨狼和同学们来到大操场，在跑道上排好队伍。老师要大家赛跑——谁跑得最快，谁就是体育最好的学生。

"预备——跑！"

老师的口令刚刚发出，笨狼就像离弦的箭一样往前奔跑。可是，他在跑道的拐弯处忘记了拐弯，因此，笨狼直直地穿过大操场，越过田野，跑回大森林去了。

8. 糟糕的发明

　　既然学校里老师说的苹果并不是真正的苹果，那么鸭梨也就不会是真正的鸭梨。学校里没有什么好吃的东西给大家吃，上学有什么好玩的呢？笨狼不去上学了，他要在家里当发明家。

　　笨狼听过爱迪生的故事，知道爱迪生小的时候也是一个笨孩子，连一张小凳子都做不好，还坐到鸡窝里去孵鸡蛋。

　　"要是让我去孵鸡蛋，我就不会坐到鸡窝里去。我要把鸡蛋抱在怀里。"笨狼比画着。

　　聪明兔一边拔胡萝卜，一边说："总是抱着吗？

你要干活了怎么办呢？比如说拔胡萝卜……"

笨狼腾出手来帮聪明兔拔胡萝卜。他想了一下，说："我把鸡蛋含在口里。"

"那你怎么吃东西呢？"

笨狼揪揪耳朵。耳朵里面没蹦出什么好主意来。

"现在没有鸡蛋呀！"笨狼突然明白过来，"我干吗要孵鸡蛋呢？我只想当个发明家。"

发明什么东西好呢？电灯已经有了，指南针也有了。总之，容易发明的东西，别人早已抢先发明了，谁也没想到应该留一点机会给笨狼。

笨狼想呀想，一会儿就想到有三样东西应该马上发明——

小猪的尾巴太短太难看了，应该给小猪换一条像马尾巴一样又长又漂亮的尾巴。

聪明兔总是光着脚丫跑，说不定哪一天就会被森林中的荆棘和沙石扎伤，应该给他做一双合脚的鞋子。

小松鼠的尾巴太蓬松了，在树上跳上跳下不方便，应该用美丽的皮筋儿扎起来。

说做就做。笨狼很快把东西发明好了，送给了小

猪、聪明兔和小松鼠。

不一会儿，就听到森林里大呼小叫，热闹喧天。

首先是小猪装上马尾巴后，走起路来像喝醉了酒似的摇摇晃晃，怎么也不能走到路的中央。结果，一个跟头栽进湖里，差点淹死。

接着，传来小松鼠摔断腿的消息。小松鼠扎上美丽的皮筋儿，在树枝上跳舞。平时，他那毛蓬蓬的尾巴像一把降落伞，时时刻刻保护着他。他做梦也没想到，今天，降落伞发挥不了作用了！

最后，是身负重伤的聪明兔给大家讲他的历险记。

聪明兔本来是很聪明的，但这次也犯了糊涂。他穿上笨狼发明的鞋子到森林里去散步，想试试这鞋子究竟有多好。

森林里静悄悄的，只有聪明兔的脚步声"嚓嚓嚓"响。聪明兔还以为森林里只有他自己呢。他不知道尖嘴狐狸这会儿也正在森林里转悠。尖嘴狐狸走起路来轻轻的，没有一点声音。这家伙就喜欢这么鬼鬼祟祟。

聪明兔走着走着，突然看见尖嘴狐狸就站在不远处张望。聪明兔吓了一跳，转身就跑。但不知为什么，

跑得比平时要慢得多，好像双脚使不上劲儿。

　　"哎呀，这是怎么回事？"聪明兔慌了神，没看清路边有一块石头。他被石头绊了一跤，绊掉了一只鞋子。他爬起来继续跑，恰好又踩上了刚才绊掉的那只鞋子，脚下一滑，一头撞到一棵树上，"啪"，眼前金星直冒。

　　最可怕的是尖嘴狐狸追上来了。尖嘴狐狸朝聪明兔扑过来，聪明兔在地上打了个滚，尖嘴狐狸扑了个空；尖嘴狐狸张开尖嘴巴，想咬聪明兔，聪明兔朝后一蹬腿，狐狸咬住了他脚上的那只鞋子。聪明兔这才

趁机逃回来。

"关键时刻，还是你的发明帮了忙啊！"聪明兔笑着对笨狼说。

笨狼的脸红了，耳朵也红了……

9. 坐到屋顶上

笨狼有一张漂亮的小板凳，板凳长着四条结实的小腿，站在地板上显得很神气。

这小板凳是小猪送给他的。

笨狼高兴地坐在小板凳上，但是，小板凳太矮，腿伸不直，笨狼觉得很不舒服。

笨狼见沙发比地板高出一截，心想把小板凳搬到沙发上，腿就可以伸直了。

笨狼把小板凳搬上沙发，自己跟着往沙发上爬。

坐到小板凳上，长长地舒口气，笨狼心里很得意，觉得自己想出了一个好办法。

哎,怎么回事?腿还是伸不直,坐着还是不舒服!

餐桌比沙发高出一截,把小板凳搬到餐桌上,该能伸直腿了吧?

笨狼就踮起脚尖,把小板凳搬到餐桌上去。笨狼先爬上沙发,再踩着沙发扶手爬上餐桌。笨狼还算灵巧,爬上去没费多少工夫。

笨狼满心以为这次该坐得舒服了,可是,他想错了,小板凳还是太矮了!

笨狼大吃一惊,他没想到自己的个子会有这么高。

除了屋顶之外,这房子里再没有什么东西比餐桌还高出一截了。

笨狼从大黄牛家借来了一架长梯子,从聪明兔家借来了一只大口袋。他把小板凳装进大口袋,把大口袋背在背上,一步一步地爬梯子。

爬到屋顶上,笨狼累极了,只想快点坐到小板凳上歇一会儿。

咦,怎么搞的?腿还是伸不直,坐着还是不舒服!

"我借了梯子和口袋,好不容易才爬到屋顶上,难道还要我爬到天上去吗?就算能爬上天去,每天这么背着你爬上爬下，也太麻烦了呀！"笨狼生气地对小板凳说。

这时候，小猪和聪明兔正好来看笨狼。小猪打老远就看见笨狼坐在屋顶上，惊奇地问："你在干什么呀？"

"你送给我的小板凳太矮了，我坐到沙发上，伸不直腿儿；坐到餐桌上，也伸不直腿儿；坐到屋顶上，还是伸不直腿儿。"笨狼说。

"怎么会这样呢？我在家里试过的呀，坐着挺舒服。"小猪皱皱眉头，感到很奇怪。

"不信，你来试试吧。"笨狼说。

小猪爬到屋顶上，往小板凳上一坐，不高不矮，正合适。

"伸直腿了吗？"笨狼问。

"伸直了。"

"舒服吗？"

"舒服极了。"

"我再试试。"笨狼说。

笨狼又坐到了小板凳上。

小猪问："伸直腿了吗？"

"弯着呢。"

"舒服吗？"

"难受。"

这是怎么回事呢？小猪和笨狼围着小板凳转了一圈又一圈，实在弄不明白。聪明兔站在一旁，看着这一切，笑得差点背过气去。

"你笑什么呢？"小猪问。

"你没看见你比笨狼矮一截吗？"聪明兔笑着说，"对你刚合适的小板凳，笨狼坐起来，当然嫌矮喽！"

"我坐的凳子要比屋顶还高吗？那我吃饭怎么办呢？餐桌比屋顶矮得多呀！"笨狼发起愁来。但他马上又眉开眼笑地说："我可以像钓鱼一样，把餐桌上的东西钓上来呀，这真是个好主意！"

有聪明兔在，笨狼当然用不着坐在比屋顶还高的凳子上。聪明兔拿起小猪做的小板凳，在那四条结实的小腿上钉了四块小木片，问题就解决了。

现在，笨狼坐在小板凳上，能把腿儿伸得直直的，真舒服。

过了一会儿，聪明兔和小猪走了。笨狼坐在地板上，把小板凳翻过来，仔细看那四块小木片。

小木片比沙发、餐桌、屋顶矮了许多许多呀，它有什么魔法呢？笨狼真是弄不明白。

10. 都准备好了

笨狼还在抱着凳子反复琢磨。忽然，他听到门外树上的小鸟在说话："你看见没有？聪明兔好像到胖棕熊的商店里买东西去了！"

"我看看，我看看，买的是什么？"

笨狼跑到门外，看到树上的小鸟们脑袋挨挨挤挤的，朝远处张望。

笨狼问："你们看清楚了没有？聪明兔买的是什么？"

隔得太远了，小鸟们也没有看清楚。他们只看到聪明兔抱着一个大罐子往回走，就猜想："是用罐子装着的东西，好像是咖啡吧。"

"没错，肯定是咖啡！"笨狼乐得一蹦三尺高，"好啊，有咖啡喝喽。"

小鸟们觉得奇怪："又不是你买的咖啡！"

"你们不知道吗？聪明兔是我的好朋友，他喝咖啡的时候，一定会来叫我的。"笨狼说。

笨狼把小板凳靠墙放好，小板凳的秘密没时间琢磨了。笨狼得为喝咖啡做准备。

笨狼以前从没喝过咖啡。森林里只有胖棕熊喝过。胖棕熊说："咖啡是很贵重的东西，可好喝了。喝咖啡之前，要准备好咖啡杯和小勺子，烧好滚烫的开水。把一点点棕色的咖啡放进杯子里，用开水一冲，再加上一些白色的咖啡伴侣，放上两块方糖，好，一杯香喷喷的咖啡就成了！"

一边听胖棕熊这么说，笨狼就一边止不住要吞口水。他深深地吸吸鼻子，啊，仿佛在空气中闻到了咖啡的香味。

现在好了，聪明兔买了咖啡，笨狼终于可以喝上咖啡了。

当然，要喝咖啡嘛，先得准备一个咖啡杯和一把小勺子。勺子倒是找到了，杯子嘛，笨狼在厨房里找来找去，找到的杯子不是太大就是太小，要么就是裂了缝的，缺了口的。这样的杯子，平时喝喝水还可以，用来喝那么贵重的咖啡，那当然是不行的。

笨狼飞快地跑进胖棕熊的杂货店，买了一个崭新的咖啡杯。

胖棕熊还想跟笨狼聊天，笨狼朝胖棕熊挥挥咖啡杯："对不起，今天没时间！"

笨狼拿着咖啡杯和小勺子，坐在小板凳上等着。

等着等着，笨狼又想起：要是聪明兔请自己喝过咖啡以后，再让自己带些咖啡回来呢？那当然就得自己烧开水冲了。笨狼马上把水壶放到炉子上，生火烧开水。

水"咕嘟咕嘟"冒热气了，聪明兔还没有来。

后来，水变得像没有烧过一样凉了，聪明兔还是没有来。

笨狼再也坐不住了。他端着咖啡杯，拿着小勺子，去找聪明兔。

笨狼一看见聪明兔，就埋怨他："我都准备好了，你怎么老不来叫我嘛！"

聪明兔正在油漆门前草地上的栅栏。他拿着油漆刷子，穿着工装裤，一罐油漆放在地上。"你准备了什么？"聪明兔问。

笨狼举起咖啡杯和小勺子："我等着你来叫我喝咖啡呢！"

"你已经把咖啡杯和小勺子都准备好了？"聪明兔大笑起来，"可是，我家里没有咖啡呀！"

"没有咖啡？"笨狼不信，"小鸟看见你到胖棕熊的店里买东西，抱了一个罐子回来。"

"就是这个罐子！"聪明兔指指地上的油漆罐。

原来不是咖啡，只是一罐油漆！笨狼失望得差点要掉眼泪了！

聪明兔急忙说："别担心，漆完了这道栅栏，我就去买咖啡！"

笨狼说："好啊，我们最好能早点漆完！"他放下咖啡杯和小勺子，马上帮聪明兔漆栅栏，油漆刷子舞得像飞一样。

11. 奶油淋浴

胖棕熊的杂货店开在森林大道上。面包、蛋糕、奶油、巧克力等等好吃的东西堆满了货架。

每次笨狼经过小店，都会看见胖棕熊站在柜台后面咧开大大的嘴巴微笑。一看到胖棕熊的笑脸，笨狼就忍不住要停下脚步，将手伸进裤兜里。毛茸茸的小拇指在裤兜里转一圈，便从一个破洞里钻出来，和笨狼一起盯着满货架好吃的东西，可口袋里一个森林币也没有了。

笨狼原来有十个森林币，那是爸爸临出门时留给他的。

爸爸说：“笨狼，我要出远门追你妈妈去，这十个森林币你留着慢慢花吧！”

笨狼快乐地应道：“好嘞！”

一个森林币能买十颗巧克力、两个蛋筒冰激凌和一个奶油面包。现在有整整十个森林币呀！怎么花得完呢？

笨狼把九个森林币放进钱罐里，把一个森林币拿在手上，跑进了胖棕熊的杂货店。

哎呀，好东西实在太多了！巧克力、面包、蛋糕、玩具手枪……笨狼一样一样指点着。胖棕熊摇摇头：“买这么多东西呀，一个森林币不够！”

“我还有九个森林币呢！”笨狼骄傲地说。

笨狼一下子花掉七个森林币，买回一大堆好吃好玩的东西。笨狼叫来聪明兔和小伙伴们，一边吃一边玩，好不快活！

天黑了，笨狼玩累了，躺在床上，却怎么也睡不着，他心里老惦记着一件事情：钱罐里还有三个森林币呢。三个森林币可以换三十颗巧克力、六个蛋筒冰激凌、三个奶油面包……一次同时吃六个冰激凌，谁能办到

呢，也许只有我能！

第二天一早，笨狼就想试试自己同时吃六个冰激凌的本事。结果他发现这事一点也不难，只是样子不怎么好看，因为他必须躺着。笨狼躺在杂货店前的草地上，双手双脚上各拿一个蛋筒冰激凌，另外两个，是请胖棕熊先生帮忙塞进嘴里的。

遗憾的是，这六个冰激凌的味道差极了。嘴巴塞得太满了，根本就不好往肚子里吞。四肢被冰冻得麻木了，又舍不得丢掉。后来还是太阳帮了忙，太阳一阵猛晒，把冰化成水，水沿着嘴角、下巴、四肢，流进笨狼的耳朵、眼睛、脖子和衣服里，结结实实让他洗了一个冰激凌澡，弄得他好难受。

地上爬的蚂蚁和空中飞的苍蝇，还以为笨狼不是笨狼，而是一块被谁扔掉的奶油，居然全往笨狼身上挤，怎么赶都赶不跑。得，他们不跑，我跑！笨狼一骨碌爬起来，使出吃奶的力气，才摆脱了那些小强盗。

这些日子，笨狼老是回想起那六个冰激凌。唉，要是一个一个慢慢地哑巴，多美！

现在，笨狼又站在杂货店前，出神地想念那天浪费了的六个冰激凌。

他站了好久好久，已经在想象中把那六个冰激凌都慢慢地咂巴完了，还没有要离开杂货店的意思。

胖棕熊说话了："笨狼，是不是想吃冰激凌？"

这还用问，当然想了！

胖棕熊用纸包了两片奶酪递给笨狼："快给黑羊太太送去吧，等会儿我奖你一个冰激凌！"

笨狼拔腿就朝黑羊太太家跑。

笨狼跑得很快，快得连正在树林里赛跑的风儿都一齐停下来，纷纷打听："这是什么风？他怎么跑得这么快？"

聪明兔正在森林里采板栗，他听了风儿们的议论，大声说："他可不是风，他是我的好朋友笨狼！笨狼，你去哪儿呀？"

笨狼停住脚步，回答说："我去给黑羊太太送奶酪！"

他看见聪明兔身边放着一大袋板栗，就热心地问："你背得动吗？让我帮你好不好？"

聪明兔拖不动大袋子，刚才还在发愁呢，这下好

了。他们两个抬着那袋板栗，轻轻松松来到了聪明兔的家里。

"我们两个来炒板栗吃吧！"聪明兔说。

这主意太妙了，笨狼举双手赞同。举起双手时，他发现手上有两片奶酪，挺碍事的。笨狼取下帽子，把奶酪塞进帽子里，把帽子扣在头上。为了防止奶酪掉出来，他还把帽檐压得低低的。

生起火，架好锅，板栗在锅里"叮叮当当"响得欢。笨狼和聪明兔，一个忙着往炉子里添柴，把火烧得旺旺的；一个舞动长勺，使出全身的劲儿在锅里翻动。满屋子热火朝天。

过了一会儿，笨狼觉得脑袋上热极了，有一些黏糊糊的东西顺着头发、脸颊流下来了。咦，奇怪，这汗怎么油腻腻的，还滚滚烫？

笨狼把脑袋伸到聪明兔面前，说道："聪明兔，你瞧瞧，我这脑袋上出什么事了？"

聪明兔一瞧，"哈哈哈"笑出了声儿。

你猜怎么着，原来是奶酪化了，白白的奶酪油流下来，糊了笨狼一头一脸！

笨狼可笑不出来，他快急死了，因为这奶酪是黑羊太太的。

笨狼一个箭步蹿出聪明兔家，朝黑羊太太家奔去。他刚跑上大路，就"咕咚"一声，撞在了胖棕熊先生肥肥的大肚子上。胖棕熊先生身子朝后一晃，紧跟在胖棕熊先生身后的黑羊太太摔了个四脚朝天！

黑羊太太在家里左等右等不见送奶酪的上门，只好自己出来找胖棕熊先生，胖棕熊先生就带着她来找笨狼，这一找，他们三个就摔到一块儿了。

笨狼老老实实地站在胖棕熊先生和黑羊太太面前，等着挨骂。但是黑羊太太和胖棕熊先生看着笨狼那一头一脸白晃晃的奶油，只顾哈哈笑个不停。

笨狼看他们总是笑总是笑，自己也想跟着笑，却怎么也笑不出，反而"哇"的一声哭了起来。

为了让笨狼不哭，胖棕熊先生给了笨狼一个蛋筒冰激凌，黑羊太太给了笨狼一袋巧克力豆。笨狼打开袋子想数一数，却怎么也数不清。因为实在太多了，有五十粒呢。

12. 画画

　　春姑娘是一个了不起的大画家，她用薄薄的裙衫轻拂一下，原野上就画满了绿草，山坡上插遍了鲜花，树枝上剪贴着嫩叶，在原野、山坡和树林之间，还点缀上无数的彩蝶，翩翩飞舞。

　　看到春姑娘把大地打扮得这么美，笨狼羡慕极了，也想当个了不起的画家。

　　笨狼找来纸和笔，坐在草地上，画开了。

　　小蚱蜢在草地上穿露珠项链，看见笨狼拿了纸和笔画画，凑过来问："笨狼，你在画什么？"

　　"画草地呢！"

“把我也画进去，好吗？”

“好吧！”

小蚱蜢放下露珠项链，赶快跑到笨狼面前的草地上站着，还摆出一个好看的姿势让笨狼画。

笨狼把绿色的小蚱蜢画在白纸上，再在小蚱蜢的脚下和身后画上宽阔的绿草地。

小蚱蜢高高兴兴地跑过来看自己的画像，可是，图画纸上只有一片绿色，找来找去也找不到可爱的小蚱蜢。

“我在哪儿呀？”小蚱蜢问。

“在这儿。”笨狼伸出一根指头，指着草地中央。但紧接着，笨狼就张开大嘴，惊讶地问小蚱蜢：“你上哪儿去了？我明明把你画在这儿的嘛！”

笨狼把鼻子贴着图画纸，仔细地找呀找，还拎起图画纸的一角，轻轻地抖一抖，看有没有小蚱蜢掉下来。

“我可不能用劲儿抖，我怕会摔痛小蚱蜢。”笨狼说。

图画纸上没有小蚱蜢。笨狼撅着屁股，趴在草地上找。这时，笨狼看见了草地上的小蚱蜢，他一把抓住小蚱蜢，生气地说："原来你在这儿呀！你这个淘气鬼，谁让你从图画纸上跑下来的？"

"我可不是从图画纸上跑下来的，我也在找图画纸上的小蚱蜢呢！"小蚱蜢大声说。

笨狼不信。他说："我在图画纸上画的就是你，你快回图画纸上去吧！"

笨狼把小蚱蜢放在图画纸上，为了不让他逃走，还扯根狗尾巴草拴住他的腿。笨狼背起画夹，骄傲地往回走，他要让所有的小动物来看他画的画，他还要给他们画像呢！

你看到笨狼的画了吗？看，就挂在画夹上！那是一张涂满了绿颜色的图画纸和一只用狗尾巴草拴着的小蚱蜢。小蚱蜢还在拳打脚踢，大声嚷嚷："放开我，放开我！"

别的小动物见到这幅画，全都吓跑了。

笨狼不知道他们为什么跑。他还一个劲儿地追着喊："聪明兔，回来！小松鼠，回来！你们来当我的模特儿呀！"

小动物们都不回来，笨狼没有模特儿，画不成画了。

小蚱蜢说："你把我放开，我来当你的模特儿，好不好？"

笨狼把小蚱蜢放开，这一回，小蚱蜢站在一个白色的盒子上，还用红色皱纹纸做了一个斗篷披在身上。

这次画得很成功。尽管画面上的小蚱蜢看上去完全像一朵绿柄红伞的蘑菇，但小蚱蜢和笨狼都很满意。因为有了这幅画之后，小蚱蜢获得了自由，笨狼也找到了很多模特儿。

13. 进城历险

有一段时间笨狼很忙，他为森林小镇的每个居民都画了一幅画。画过了那些画，笨狼拿着画笔，抱着画夹，却想不出接着该画什么。想不出来就不想了。笨狼把画笔和画夹塞到床底下，到森林里去转悠。

森林是个美妙的世界。鸟儿在树上唱歌，野兽在林中奔跑，厚厚的落叶下面，住着许许多多小虫子。森林是由一棵又一棵树组成的。那些树都积极向上生长，仿佛要离开大地，奔向天空。

阳光洒进树林，在林中落下无数金色的光斑。笨狼抱着一棵大树，朝天空望去。天空中正好有一只白

色的鸟儿飞来，落在树梢上。

笨狼问白鸟："你要住在这棵树上吗？"

"不，我只是路过这儿，我要飞到城里去看热闹。"白鸟一边整理自己的羽毛，一边回答。

笨狼不知道"热闹"是什么好看的东西，他问："什么叫看热闹？看什么热闹？"

白鸟的脾气不好，而且他不喜欢交朋友，更不喜欢聊天。"问什么问，自己不晓得去看？"白鸟拍拍翅膀飞走了。

笨狼想：好吧，我也进城去看看"热闹"。

他唱着歌儿走出森林，来到公路上。

迎面开来一辆绿色的出租车。笨狼挥挥手，车停了。司机打开车门，礼貌地说："先生，请上车！"

笨狼大大方方上了车，司机却尖叫一声，滚到车下去了。

笨狼想拉司机一把，没想到司机撒腿就跑，跑得比聪明兔还快。

司机跑了，留下一辆出租车。出租车发动机没停，车上的仪表闪闪烁烁的，笨狼从没见过，觉得怪好玩的，就这里按按，那里踩踩。

玩着玩着，汽车动了。"哈，我会开汽车了！"笨狼高兴得双脚使劲踩油门，双手使劲在方向盘上拍。

前面是街心广场，红灯亮了，大大小小的车停了一长溜儿。

笨狼不懂得交通规则。他的脚还在油门上猛踩，"呼"，绿色出租车冲过十字路口。

交通警察举起手臂，想拦住这辆车。可是，他的口哨掉了，举起的手臂像根木头，半天也没能放下来。

交通警察什么都见过，就是没见过一只狼开着绿色出租车闯红灯。

汽车"嘀嘀"叫着，闯进城里最大的百货商店，撞倒了收银台。

商店里的顾客和营业员以为是歹徒冲进来抢劫，乱作一团。试衣间的门被挤破了，柜台底下人堆人。商店经理用一个塑料水桶罩住脑袋，以为这样最安全。一个正在给女儿买洋娃娃的年轻妈妈，吓得把女儿和洋娃娃弄混了，抱着洋娃娃就跑，反而把女儿留下了。

笨狼可不管这么多，他从汽车里钻出来，东瞧瞧，

西看看。

商店里有自动扶梯。这新鲜玩意儿，笨狼在森林里还从没见过呢！

笨狼站在自动扶梯上，不用自己爬楼梯，就从一楼到了二楼，又从二楼到了三楼。

笨狼好高兴，他一边坐自动扶梯，一边从口袋里掏出两个松球抛着玩。抛着抛着，"咕咚，咕咚"，松球掉了，沿着自动扶梯滚到了楼下。

笨狼想去捡，但是，自动扶梯越升越高。

"停下！"笨狼大声命令。自动扶梯根本不理笨狼，还是越升越高。

"你难不住我！"笨狼说，"咱们比比，看谁厉害！"

笨狼转身往楼下跑。可是，笨狼跑下一级，自动扶梯上升一级，笨狼跑得气喘吁吁，还是在老地方。笨狼好狼狈。

商店里的顾客和营业员乱了一会儿，没看见歹徒，只看见一只小动物在自动扶梯上跑，就都哈哈大笑起来。他们说："瞧瞧那只小狗，真可爱，是从马戏团里跑出来的吧？"
唉，他们可真没
见识呀，把笨狼
当成小狗了。

　　经理听到大家的笑声，
取下头上的塑料桶，也来瞧热闹。
不看不知道，一看吓一跳："狼来了，
狼来了呀！快给警察局打电话！快给动物园打
电话！快给海军司令、空军司令、陆军司令打电话！"
经理吓糊涂了。

　　听说站在自动扶梯上的不是狗，是狼，顾客和营
业员怕得比刚才更厉害了，一个个抱着脑袋，跑出商
店。他们以为笨狼会特别喜欢吃他们
的脑袋。

　　　　　　　　　　　"哼，你们的
脑袋又不是冰激
凌，我才不喜欢
呢！"笨狼说。

　　人们一边抱着脑袋

跑，还一边尖声大叫，叫声大得吓人。

"简直受不了！"笨狼捂着自己的耳朵，"我要快点离开这儿！"

笨狼不知道要如何才能从自动扶梯上下来。

"我要怎样才能下来？有谁告诉我吗？"笨狼对着空空荡荡的商店喊。

只有买洋娃娃的小姑娘没有离开商店。她一直站在扶梯旁看着笨狼。

小姑娘踏上自动扶梯，来帮助笨狼。她牵着笨狼的手说："来吧，我们先到楼上去，再从另一个扶梯下！"

原来商店里有两个自动扶梯，一个管上，一个管下。

笨狼下了自动扶梯，在地上找到松球，送给买洋娃娃的小姑娘。

就像笨狼没见过自动扶梯一样，小姑娘也从没见过松球。"这是森林里的玩具吗？太好了！"小姑娘说。

笨狼邀请小姑娘到森林里去做客："你到森林里

来玩吧！森林里还有比这更好的玩具，有好多好多！"

小姑娘也邀请笨狼到城里其他地方玩。小姑娘看到警察和动物园的工作人员来了，他们戴着头盔，拿着麻醉枪。

"他们是来抓你的。"小姑娘告诉笨狼，"你想去动物园吗？"

"动物园是什么地方呢？"

"是动物住的地方。"

听说是动物住的地方，笨狼想去看一看。当警察冲进来的时候，笨狼没有跑，他朝他们走过去，说："我想到动物园去，你们带我去吧。"

走在最前面的那个警察根本没明白笨狼说些什么，他看见笨狼的嘴一动一动，露出了尖尖的牙齿，还以为笨狼想咬他，一扣扳机，"啪啪啪"打出一发发麻醉弹。

等笨狼醒来，已经是深夜。他发现自己被关在一个铁笼子里，躺在冰冷的水泥地上。

四周静悄悄的，笨狼大声喊："这是什么地方呀？"

笨狼的喊声吵醒了睡在隔壁笼子里的老虎，老虎

生气地嘟哝："这是在动物园，动物们住的地方。你不好好睡觉，瞎吵什么？"

笨狼说："是动物住的地方，为什么没有森林和草地？"

这只老虎是在动物园里出生的，他以为世界就是由一个个黑色的铁栅栏组成的，从来不知道世界上还有森林和草地。"森林是什么东西？草地是什么东西？我从没听说过！"老虎吼道。

笨狼告诉老虎森林和草地是什么样子的，笨狼还告诉他："在我的家乡，我们总是在森林和草地上玩耍，住在我们自己喜欢的房子里，而不是铁笼子里。"

"有人送吃的吗？有人替你们打扫卫生吗？"老虎问。

"没有。"

老虎打个哈欠，说："还是这儿好些。我们只管睡觉，其他的事都不用操心。你也好好睡吧，天一亮，就会有人送吃的来。"

笨狼不想睡，他想到动物园里走一走，看一看。

笨狼的运气真好。管理员根据以往的经验，认为笨狼要睡到第二天上午才会醒来，所以，下班的时候就没有把铁门的搭扣锁上。

笨狼走出铁笼，伸伸臂，做个深呼吸。

唔，动物园里的空气真难闻。

动物园看上去静悄悄的，仔细听听，其实一点也不静。非洲狮子在哭，因为他梦见自己虽然回到了干旱的非洲草原，却怎么也找不到从前的兄弟姐妹了。大熊猫妈妈正在用竹子给她的女儿写信，这已经是第一千零一封信了。写完了，大熊猫妈妈就把信一点一点地吃进肚子里，因为她不知道女儿如今住在哪个动物园。大熊猫妈妈的女儿长得很美，刚一生下，就被人类当作友好使者送到一个遥远的国家的动物园去了。

来到猴馆，看到笼子里挤满大大小小的猴子，笨狼说："喂，快出来，到外面来玩！"

猴子们慌作一团，如临大敌。

一只白眉毛老猴走到铁笼边上，对笨狼说："我的孩子们每天见到的都是人，从没见过像你这号的。他们一直待在这笼子里，没到外面玩过，也就不知道

'外面'是什么意思。我从前住在森林里的时候，见过你这种拖大尾巴的家伙。你是狼家的孩子吧？怎么到这儿来了？"

笨狼把自己的历险故事告诉了白眉毛老猴。

白眉毛老猴说："天快亮了，你要是想留下来，就快点回笼子里睡觉；要是想逃走，就快点逃，别到处闲逛，打扰我们大家。"

"我把铁笼子打开，我们大家一起走，好不好？"笨狼说。

猴子们嚷嚷开了："我们哪儿也不去，我们就住在这里。"

白眉毛老猴叹口气："他们都是在这儿出生的，对笼子外面的世界一无所知。这儿的生活还是挺不错的，只是住得挤了点。你走吧，别管我们了。"

笨狼不走，他想把关在笼子里的动物都放出来，带他们回到森林和草地去。

"跟我走吧，跟我到森林里去。"笨狼说。

但是，动物们都不肯跟他走，一只鹦鹉还以为笨狼是想要占他的笼子，骂骂咧咧地说："造谣分子！

阴谋家！没有笼子住的家伙！骗子！抢劫犯！"

笨狼只得独自离开动物园。

走到大门口，回过头来看看，动物们又都睡着了，只有白眉毛老猴还趴在铁笼子上，向笨狼挥手。

老远的大街上，传来洒水车的音乐声。天就要亮了。

笨狼不想被人抓住，一辈子都关在大铁笼子里。他朝森林跑去，越跑越快。

14. 当警察

　　警犬阿黄在城里的警察局工作。下班回到森林里，阿黄就把头仰到背上，鼻孔朝天，神气得不得了。

　　能当上警察当然值得神气。你瞧瞧，世界上的警察有谁不神气呢？警察们穿着笔挺的制服，骑上摩托车，在大街上"呜哇呜哇"开道，所有的行人和车辆就都得让开；警察一脚踹开坏蛋家的门，大喝一声："我是警察！"坏蛋们就乖乖地举起手，靠墙站着，再也不敢移动半步。

　　笨狼决心要当一名警察。笨狼知道，当警察可不是闹着玩儿的，要有真本事。所以笨狼每天清早起来练拉力器，晚上睡觉前练俯卧撑，中午还撑着一把破伞从高坡上往下跳，这是在练跳伞。警察总是需要应付各种各样危险的情况，跳伞肯定是必要的。

有一天早上，笨狼练完拉力器，仔细照照镜子，发现自己跟从前真的很不一样了：胳膊上、胸膛上、大腿上尽是肌肉。他试着对着屋顶大喝一声"我是警察"，屋顶都吓得摇摇晃晃。笨狼马上收拾行装，准备去警察局申请工作。

他在路上碰到聪明兔，聪明兔问："笨狼，你去哪儿？"

"我去当警察。"笨狼自豪地说，还伸出胳膊在聪明兔面前扬一扬，"瞧瞧这肌肉，棒不棒？"

聪明兔在笨狼那四条瘦胳膊瘦腿上找了好半天，也没找到一块像样的肌肉，就担心地问："你行吗？"

"嘿，你等我的好消息吧！凭我的本事，不当个局长也要当个警长！"

笨狼拍拍干巴巴的胸脯，迈开大步走了。

笨狼径直来到警察局长的办公室，向警察局长提出要求："我要当警察！"

警察局长久经考验，意志坚强。虽然他看见闯进办公室来的不是秘书小姐，而是一只狼，但他还是和气地问："小家伙，有事吗？"

"我是从森林里来的，我要当警察！"

"我们没有什么工作需要狼去干。"局长说。

"我知道你们有警犬。"笨狼说，"警犬能当警察，我也能当。"

"为什么警犬能当你也能当呢？"局长问。

"为什么警犬能当我不能当呢？"笨狼问。

这个问题还真难住了局长。局长一遇上难题就喜欢找文件。如果文件上找不到答案，就发动全体警察翻书。

局长开始找文件。找了一个小时，没有找到。于是，局长就让女秘书找。女秘书找了两个小时，还是没有找到不让狼当警察的文件。局长又发动全局所有警察一起找，警察们撅着屁股在文件堆里找了三个小时，结果还是没有翻到任何关于不让狼当警察的条款。

局长一声令下："通通到图书馆去翻书。"

警察们一齐拥进图书馆，一会儿又一齐拥出来。警察们终于找到了一本书，那本书上说，在很久以前，狼和犬是一家。

既然狼和犬原来是一家，那么，警犬能进警察局工作，笨狼当然也能了。于是，笨狼当上了警察。

虽然笨狼当上了警察，但别的警察拒绝和笨狼搭档，他们说和笨狼在一起单独执行任务时缺乏安全感。"瞧瞧那两排狼牙！"他们小声嘀嘀咕咕。

要是你看过警匪片和侦探片，你就会知道一个警察找一个好搭档有多么重要，你也就能理解笨狼现在是多么伤心。

笨狼去找牙科医生："医生，请把我的狼牙锯掉吧。"但是医生不答应，小护士也不答应，他们把诊所的门"砰"地关上，差点把笨狼的鼻子夹在门缝里。

局长只好叫来警犬阿黄，让他当笨狼的搭档。

警犬阿黄欢天喜地地来了。看样子，阿黄对自己能和笨狼搭档感到万分荣幸。

别看阿黄在森林里总是鼻孔朝天，在警察局里他就只能鼻子点地了。如今能和笨狼做伴，他高兴得只晓得围着笨狼打圈圈了。

笨狼和阿黄执行的第一项任务是追捕毒品贩子大脚阿文。他俩花了一整天时间跟踪追击，从城南追到城北，从城北赶到城西，最后在城东码头上没费一枪一弹就抓住了这个坏蛋。

笨狼和阿黄原本是想拔出枪来，大喊一声："站住，我是警察！"好好逞一逞警察的威风。没想到一到关键时刻就全忘了，他俩竟然不约而同地使出牙齿！

倒霉的大脚阿文两瓣屁股全没了，被关进牢房后，他不能坐，只能整天趴着。大脚阿文要在牢房里趴整整二十年，等他出来的时候，胸前一定会起厚厚的茧子。

局长表扬了笨狼和阿黄的机智勇敢，同时也指出，在笨狼和阿黄执行任务期间，全市陷入了前所未有的混乱：三百八十八辆汽车相撞，五十六辆列车跑错了方向，五千二百三十四位市民拥至精神病院门口，要求住院治疗。因为尽管大家都明白野生动物是人类的朋友，但看见狼和狗结伴在大街上跑，还是吓坏了。"不是他们疯了，就是我们疯了！"市民们说。

"为了全体市民的利益，我不得不辞退你。"局长说。

笨狼想不通："我第一次执行任务就立了功，为什么要辞退我？"

局长已经喜欢上笨狼了。但要让全体市民也喜欢笨狼，局长觉得很难。局长说："辞退你的理由是——你长得跟我们不一样。"局长没告诉笨狼，如果笨狼不回到森林里去，就会被关进动物园。反正人们不能容忍一只狼在街上跑。

局长把笨狼领到镜子前，让他自己看。

"啊，真的是不一样！"笨狼承认。

"警犬阿黄呢？你们也辞退吗？"

"不，警犬阿黄仍然留在警察局。"

"为什么？"

"因为警犬阿黄长得也跟你不一样。"

局长就把警犬阿黄叫到镜子前，让笨狼自己看。要让笨狼看出自己和警犬阿黄的区别来还真不容易。好在有局长在一旁不断提醒，笨狼才终于看出来："哈，这是真的！"

局长亲自开着警车，把笨狼送到森林边。笨狼下了车，用一根棍子挑上自己的包袱，难过地走了。

"嘿，以后警察局碰上什么难办的案子，我会来找你帮忙的。"局长大声说。

"好！"笨狼这才高兴起来。

15. 钻石项链

你做梦也想不到，笨狼再次进警察局，不是去帮局长办案，而是被警犬阿黄指控为骗子，给关进了大牢。

虽然笨狼从前一心想当警察，但好不容易当上警察后，又冤冤枉枉地被警察局长辞掉了。笨狼当时挺伤心，但一回到森林里，就把不痛快的事儿全忘了。森林里的树每年都长新的叶子，笨狼心里装的事儿也每天都是新的。

所以，当有一天，警犬阿黄哭丧着脸，跑到小木屋来找笨狼时，笨狼吓了一跳。

警犬阿黄不管怎么说都是一个警察，如果你的亲戚里头没有谁在警察局工作，突然有个警察来敲你的门，八成不会是什么好事。

笨狼一看见阿黄，就猛地想起自己平时干过的一些坏事，比如说小时候尿湿过大熊伯伯的裤子，锯断过红狐狸小姐的高跟鞋鞋跟。笨狼的心慌慌的，他一个箭步蹿上了窗台，也不怕摔痛屁股摔折腿，打算从那里滚出去逃走。

警犬阿黄死死抓住笨狼的尾巴，笨狼没法跑了。

"笨狼，你是我唯一的朋友。你在警察局工作的时候，没人愿意和你搭档，是我帮了你，你欠了我的人情，现在你也得帮我一个忙。"阿黄说。

经阿黄这么一说，笨狼确实记得好久好久以前，差不多是上个月吧，自己也穿过阿黄那样的制服。其实，笨狼就算没和阿黄一起当过警察，就算从前一点也不认识阿黄，只要阿黄说让笨狼帮忙，笨狼也一样会拍着胸脯，满口答应："有什么事你只管说出来！"

阿黄说："我小姨的姑妈的表侄女是个纺织娘，在毒蜘蛛的工厂里做钻石项链。毒蜘蛛没给她发工资，只给了她这一袋钻石项链。她让我帮忙找找销路。你知道我是个警察，工作很忙，没有时间推销。你反正没事干，正好可以帮我这个忙。"

阿黄打开一个手袋，掏出了十条闪闪发光的项链。

"这项链多少钱一条？"笨狼问。

"城里的商店里卖一百块，我便宜点给你，只要五十块，保证让你有赚头。"阿黄说。

笨狼觉得，原本是一百块钱一条的项链，只给阿黄五十块钱一条，实在太不够朋友了。他从床底下找出装钱的罐子，交给阿黄："你数一数这里有多少钱。"

看到钱罐，阿黄双眼发亮，飞快地数开了："一、二……五十……三百……一共是七百个森林币！"

这七百个森林币，是狼爸爸刚寄回来给笨狼做生活费的。

"你给我留下二十个森林币做生活费，其他的都拿走吧。"笨狼说。

"留下二十个森林币？太多了吧！你只要把项链卖出去，钱就回来了。我看呀，留五个森林币就够了。"阿黄一边往手袋里塞钱，一边说，"你把这项链卖出去，

能赚回一大笔钱。其实，这件事情算不上你帮我的忙，
而是我又帮了你一个大忙，你又欠了我人情呢！"

阿黄带着钱，骑上摩托车，一溜烟走了。

笨狼走出小木屋，带上十条项链，沿着森林大道
去叫卖："卖钻石项链咯！谁要买钻石项链？"

笨狼才喊了一嗓子，红狐狸小姐就蹬着五寸高的
高跟鞋"咯噔咯噔"来了。红狐狸小姐把一条项链套
在狐皮大衣上，美美地伸伸脖子扭扭腰，问道："这
项链多少钱一条？"

笨狼说："城里的商店卖一百块钱一条，阿黄便宜点给我，只要五十块，我给了阿黄七百个森林币，他给我留了五个森林币做生活费……"

"到底多少钱一条？"红狐狸小姐不耐烦地问。

笨狼不知道该卖多少钱一条。

"本小姐今天高兴，就大方点，给你二十个森林币吧！"红狐狸小姐扔下二十个森林币，"咯噔咯噔"走了。

胖胖的胖棕熊先生腆着大肚子，笑眯眯地来了："笨狼呀，你把项链都卖给我，十块钱一条，好不好？"

笨狼说："我给了阿黄七百个森林币，那是我爸爸刚给我寄来的……"

"你想想，这里只有九条项链，我一共给你九十块钱，九比七要多呀！而且，你看到了没有？我给你的不是森林币，是城里人用的钱。你用这些钱就可以到城里去买东西了。"胖棕熊先生给笨狼一块巧克力，和和气气地说。

笨狼觉得这价钱有点不太对头，但是一时之间又说不出哪里不对，况且，巧克力吃在嘴里，甜得让他说不出话来。胖棕熊先生把钱塞在笨狼的手里，把钻石项链都拿走了。

胖棕熊先生喜滋滋的。他知道，最近森林币升值了。一个森林币拿到城里，可以从城里人手中换到一块九毛钱。这个比价是胖棕熊先生刚从《全球信息报》上看到的。为了不让森林里的居民知道这个消息，胖棕熊先生硬是把一张比乒乓球台还大的报纸一点一点吃进了肚子里。

中午，笨狼躺在床上呼呼大睡。突然，"噼里啪啦"一阵响，笨狼家的小木门像个醉鬼一样冲进了屋里，紧跟在小木门后面的是怒气冲天的胖棕熊先生。

胖棕熊先生发起脾气来真可怕，他全身的毛竖得像钢针一样。

原来，那些钻石项链根本不是钻石做成的，而是用冰做的。胖棕熊先生把它们摆在商店柜台上，一会儿工夫，就被太阳晒没了。

红狐狸小姐也哭哭啼啼地来了，她的狐皮大衣上，印出了一行水迹："我的衣服太难看了，我不想活了。我不活了，就是出了一桩命案。一桩命案的后面，就

藏着一个谋杀犯。你们一定要抓住凶手，替我报仇。"

"呜哇呜哇"，警犬阿黄开着警车来了。

笨狼松了一口气，一把拉过阿黄："阿黄，到底是怎么回事？你快告诉我。"

阿黄掏出一副锃亮的手铐，把笨狼铐了，还装出一副非常痛心的样子，点着笨狼的鼻子说："笨狼啊笨狼，我把你当朋友，没想到我看错了你，你是个大骗子！"

笨狼急忙说："阿黄，项链是你给我的呀！"

"你怎么能诬赖我……"阿黄一边说，一边痛哭流涕，就像是受了天大的委屈。

阿黄哭得上气不接下气，舌头伸出来好长好长，样子怪可怕的。笨狼看着这个架势，傻眼了，想不起自己该说什么。

因为诈骗罪，笨狼将被判处六个月监禁。

要是笨狼的好朋友聪明兔在家就好了。可是不巧得很，聪明兔昨天刚动身到美国去看他的亲戚——兔子罗杰，一时半会儿还回不来。

16. 神速减肥

在城里，除了动物园以外，还有一座动物监狱，也是专门关动物的。

在很久以前，人类专门猎杀野生动物，想独霸地球。到笨狼生活的年代，人类已经不像从前那样愚蠢了，他们当中的有些人已经知道，野生动物是人类的朋友，地球是人类和野生动物共同的家园。人类一方面想保护野生动物，一方面又害怕野生动物，就建造动物园，把野生动物关起来。当然，还有一些动物自由地生活在森林里，就像人类自由地生活在城市中一样。

生活在森林中的野生动物只顾自己快乐地生活，从来不像人类一样在开会啦，学习啦，涨工资啦，评职称啦等等重要的事情上下功夫；他们也懒得成立自己的警察局啦，委员会啦，主席团啦等等重要的组织。因此，城里的警察局就不得不管森林里诸如大象打架、猴子偷桃之类的事儿。城里就不得不增设一座动物监狱。

笨狼贩卖假钻石项链的案子，当然也归警察局管。

警察局长听说笨狼犯了诈骗罪，连忙召集全体警察开紧急会议。局长痛心地说："你们瞧瞧，多老实的一只小狼，一转眼就变成了骗子！所以呀，不管是谁，要想一辈子不犯错，是很不容易的！我们可要每天给自己敲警钟！"

因为局长以前对笨狼的印象不错，他怕自己在办案的过程中带有感情色彩，所以就干脆不管这个案子，而是让警犬阿黄直接把笨狼送到法官面前。

法官小时候是个夜哭郎。他一哭，保姆就用"狼外婆"的故事吓唬他："你再敢哭一声，就让狼外婆把你吃了！"法官对狼当然没有什么好印象。

法官说：“世界上有哪只狼不喜欢干坏事呢？这案子不用审了，马上把他送进监狱，关六个月。”

这六个月，笨狼的生活过得真不赖。阿黄每天给笨狼送六顿主餐，另加十二碟甜点心和一千克水果。头一次来送东西时，阿黄说：“我骗了你的钱，还害得你坐牢，是很不应该的。”

笨狼说：“那你快去对法官说，把我放出来吧。”

阿黄转转乌溜溜的眼睛：“这话可不能对法官说，我当你是好朋友才对你说，你可千万不要说出去。有我在，我保证你这六个月吃好喝好，不受委屈。”

笨狼听了这话，心里好感动好感动，眼圈都红了。

这以后，阿黄每次送来吃的，笨狼就拼命吃拼命吃，肚子撑得像面鼓。实在吃不进去了，就把点心塞在嘴里，暂时存着，等肚子里缓过劲来再慢慢往下咽。所以，每次笨狼和阿黄告别，都只能打手势，因为他嘴里塞满了东西，没法说话。

要是笨狼知道他隔壁牢房里的大象、长颈鹿和老虎正饿得肚皮贴肚皮、骨头跟骨头打架，就不会这么傻吃了。笨狼不知道这些好吃好喝的东西并不是阿黄掏钱买的，而是他从关押的别的动物的牙缝里夺来的。

六个月过去后，笨狼变得肥肥胖胖。

刑满释放那天，监狱长拿着花名册，站在院子里大声喊："长颈鹿！"

一根竹竿长着四条腿，颠儿颠儿跑出来了。

"大象！"

走出来一架风车，风车叶片还"哗啦啦哗啦啦"响。

"老虎！"

哧溜哧溜钻出来一只小花猫。

"怎么回事？"惊得监狱长两颗眼珠跳出眼眶。

"饿的呀！"长颈鹿、大象、老虎一边回答，一边"吭哧吭哧"啃掉了监狱的半堵墙。

结果，这三个可怜的家伙又因破坏罪被逮捕，要再坐六个月牢。

只有笨狼顺顺当当出了监狱。但当他走在森林大道上时，再没有谁能认出他来，还以为是从哪儿跑来了一只小肥猪。

"我真是笨狼呢！"笨狼指着自己的鼻子，着急地说。

胖棕熊先生安慰着："别着急，你如果真是笨狼，我们很快就会认出你来的！"

"为什么呢？"小松鼠天真地问。

"因为有些傻事情，只有我们的笨狼才干得出来呀！"山羊妈妈笑呵呵地说。

"你先回家收拾收拾吧，瞧你，多脏呀！"聪明兔说。聪明兔已经从那双快活的眯眯眼、那对尖尖的小耳朵和笨狼胸前挂着的小木牌上，认出自己的好朋友了。

笨狼和大家道了别，像个球似的，骨碌碌滚走了。

要不是墙上写着自己的名字，笨狼真不敢相信这里会是自己的家。

显然，房门太小了，任笨狼怎么塞，也没法把自己塞进去。

笨狼坐在门前的草地上，双手托着下巴，认真地想开了：是我的家我就一定能进去呀，进不去，就一定不是我的家。比如说，小蚂蚁的家，我就进不去。可是，不对呀，山羊妈妈的家不是我的，我怎么又进得去呢？

　　这墙壁上明明写着我的名字嘛！是我的家，我为什么进不去呢？没听说过有谁放着好好的房子不住，把家安在房子外面呀！

　　笨狼踮起脚尖，从窗口往里瞧：小床、花书包、旅游鞋……都是自己的。没错，以前，我就住在里面。可是，现在，我为什么住不进去了呢？现在的我不是以前的我吗？

　　对呀，以前住这儿的是笨狼呀，现在我不是笨狼了！胖棕熊先生叫我什么来着？对呀，对呀，小肥猪！

　　我是小肥猪，我不是笨狼，不，不，我是笨狼……

　　笨狼就这么翻来覆去地想，最后，他在心里对自己说：我不是小肥猪，因为我知道我不是，但是，我也不是笨狼，因为这房子证明我不是；我不知道我是谁，这个可以先不去管他，我现在想知道笨狼到哪里去了，因为我怪想他的……

　　笨狼一低头，看见了胸前挂着的小牌子："哈，我就是笨狼！一点不错！"

　　笨狼对房子说："你不让我住我就不住！我自己造一座小房子住！"

笨狼动手建起房子来。他想，自己造的房子一定得装得下自己。

地基砌好了，笨狼站到地基中央试一试，看装不装得下自己。他站进去就没再出来。因为他想，这房子反正是给自己住的，一会儿砌好了还得进门来，不如现在就在房子里不出去。

全凭自个儿造一座房子可不是一件容易的事。笨狼站在房子中间，往四周垒砖头和土坯。他从早一直干到晚，累得腰酸背痛，总算把房子砌好了。现在，只剩下房顶上最后一个窟窿了。

笨狼把脑袋伸出房顶，对满天的星星说："晚安，我可得好好睡一觉了。真累啊！"

笨狼把房顶堵上了，他没有听到星星们正在笑他。

笨狼这一觉，足足睡了七天七夜。

他不明白这一夜怎么那么长，长得总是不见天亮。

笨狼坐在黑暗中，睁着眼睛盼望天亮。盼累了，接着睡，睡够了，又睁大眼睛接着盼……

突然，笨狼听见了聪明兔的声音："笨狼，笨狼！"

笨狼从地上"噌"地跳起来，大声喊："聪明兔，

我在这儿！”

　　他想打开门去见聪明兔，这才发现，原来忘记给小屋造门了，更别说窗子！

　　"难怪这一夜这么长，原来我把白天关在外面了！"笨狼拍拍自己的脑袋，笑嘻嘻地说。他要是知道这已经是第八天的上午，准会叫起来："哎呀，我睡了一个星期吗？一个星期有那么多天，那么多天里我没吃好吃的东西，这哪行？"

　　聪明兔看见草地上立着一座古怪的圆塔，里面传来"嗡嗡嗡"的声音，觉得好奇怪，就连蹦带跳地去找胖棕熊先生、山羊妈妈和小松鼠。

　　大家七手八脚地把圆塔拆开，往里一瞧：哟，这不是笨狼吗？

　　没错，这就是原先那个精精神神的小笨狼。他把自己关在塔里，以神奇的速度减去了一身肥膘，现在，再也没有谁会错把他当成一只小肥猪了。笨狼轻轻松松地走进自己的家，睡在自己的小床上，床底下的旅游鞋也很合脚。

17. 冰冻太阳光

炎热的夏天来到了森林里。

太阳像个火球，成天在头顶上烤，门前的树全耷拉着叶子，一副无精打采的模样。好不容易盼来一丝风，还是热烘烘的。

在这样的日子里，林子里的居民全都懒得动弹，因为一动弹就冒汗，全身黏糊糊的，难受死了。

林子里再也没有了往日的欢声笑语，只有知了在树上拼命地叫："热啊，热啊！"

笨狼本来想安安心心睡个午觉，但知了的叫声吵得他睡不着。他走出家门，想对知了说声"请你别叫了"，可是一张嘴，就吼出一句："闭上你的臭嘴吧！"

这话一出口，连笨狼自己都吓了一跳。笨狼平时是很懂礼貌的。

唉，只能怪这天气弄得笨狼头脑发热，心情烦躁，说不出好话来。

知了的心里也正窝火，他觉得笨狼的房子盖得不是地方，挡不住太阳却挡住了风。他正打算把家搬到另一棵树上去，一听笨狼这话，得，这家不搬了，索性还把兄弟姐妹三姑六婆全都叫来，齐声高唱："热啊，热啊，太热啦！"

知了们的架势是说："我吵死你，看你还凶不凶！"

笨狼只好捂紧耳朵赶快跑。

笨狼跑到胖棕熊的商店，一口气吃了六个冰激凌才觉得脑袋不那么热，心里不那么烦了。

笨狼决定要好好想个办法，帮助大家快快乐乐地过完夏天。

商店里挂着一种白汗衫，胸前印着一片浅蓝色的湖水，湖上漂着几个英文字母——COOL。

"那是什么意思？"笨狼问。

胖棕熊找出一本字典，对着上面的字母一个个地查："那意思是说——凉快。"

"我猜就该是这个意思，看上去怪舒服的。怪不得鸭子、天鹅他们整天泡在湖里，只苦了我们这些不会游水的动物……哦，有办法了，你这店里的衣服我全要了，你还得做一些小尺寸的。"笨狼说。

第二天，除了那些会游水的动物之外，森林里的其他动物都穿上了那种胸前印有"COOL"字样的汗衫。

"我保证你们会凉快的。你想想啊，鸭子只在湖里游一游，就说凉快得不得了，我们都把湖水抱在怀里了，能不凉快吗？"笨狼一边给大家发衣服，一边说。

可是，大家穿上衣服后，不但没能感到丝毫凉快，而且汗还冒得更快了。不一会儿，衣服全湿透了。

"笨狼，你瞧瞧，咱们的怀里真抱着一片湖水了。"聪明兔一边脱掉直往下淌水的衣服，一边笑着说。

笨狼也把他的"湖水"脱了，说道："这衣服可能对咱们没用，但对知了们有用。你听，一整天没再听到他们说热了。"

笨狼特意定做了一批小号的汗衫，送给住在树上的知了。

　　这话提醒了大家，啄木鸟连忙飞到知了们住的树上去看个究竟："呀，不好，知了们全都中暑了。"

　　大家七手八脚地把知了们抬进青蛙大夫的诊所。

　　闯了这么大的祸，笨狼心里好难过。聪明兔安慰道："夏天天气这么热，太阳光都把我们烤糊涂了，没办法。"

　　真的没办法吗？笨狼不信。

　　回到家里，笨狼坐在地板上呆呆地想办法。想了许久，笨狼口渴了，就起身倒了一杯水。水有点烫，得放到冰箱里凉一凉。

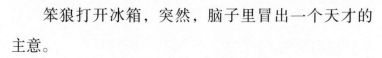

　　笨狼打开冰箱，突然，脑子里冒出一个天才的主意。

　　对，把太阳光冰冻起来，就这么办。

笨狼拎着一个大脸盆，冲出屋外，在阳光下舀一下，又冲进来，将脸盆里的东西倒进冰箱。

笨狼一趟又一趟地跑，越干越欢。

一会儿天黑了，笨狼高兴地想：太阳光不多嘛，我一会儿就舀完了。

第二天天还没亮，笨狼就起床了。因为他想：太阳光都放进冰箱里了，要是不早点舀出去，森林里就没有白天了。

笨狼又打开冰箱，拎着脸盆，一趟趟地往外面运太阳光。一直到天完全亮，笨狼才停下来。因为他想：天亮了，就证明阳光都运出去了。

刚好是下雨天。天亮不久，雨就"淅淅沥沥"地下起来。

笨狼穿上套鞋，撑着雨伞，挨家挨户去敲门：

"聪明兔，快起来，今天好凉快！"

"胖棕熊先生，快起来，今天好凉快！"

"是呀,好凉快呀!笨狼,你看,还下雨了呢!"大家都高兴地说。

笨狼想:你们弄错了,才不是雨呢,是冰冻太阳光在融化呢,就像平时你们看见冰棍慢慢融化一样。但是笨狼什么也没有说出来,他可不是那种做了好事就大声嚷嚷的家伙……笨狼心里甜丝丝的,笑得眼睛眯成了一条线。

18. 学游泳

　　下过一场雨之后，森林里的空气不再像下雨前那样闷热了。太阳当空照，风儿微微吹。动物们忍不住歌唱："多么晴朗的日子，多么明媚的阳光……"

　　明媚的阳光当然不能再冻在冰箱里，而应该要让它洒满森林和大地。

　　笨狼不用为太阳光操心了，他觉得这些日子闲得慌。

　　动物们都在尽情享受夏天带来的快乐。游泳池里非常热闹。

　　笨狼在游泳池边转，心里好羡慕！"我也要学游

泳！"笨狼说。

花背鸭开办了一所游泳学校。花背鸭说："笨狼，到我的游泳学校来吧，我保证你一学就会。"

笨狼不相信，他说："看看你的个子吧，还没我一半大呢，我掉进水里，你怎么救我？让你教我学游泳，太危险了。"

笨狼跑到毛驴大伯的图书馆，借来了一大堆学游泳的书。

笨狼一边看书，一边在床上摆开姿势比画：呼气、吸气、划水。笨狼练得认认真真的。

光趴在床上练可不行，得多到水中实践，游泳书上就是这么说的。

笨狼家里没有游泳池，怎么办？那就到浴缸里试试吧，笨狼家的浴缸挺大。

"哗哗哗"，往浴缸里灌水，等水满到不能再满了，笨狼才踮起脚尖，小心翼翼地跨进浴缸。

照书上说的，吸一口气，头平放在水面上，双手往前划，对，没错，浮起来了，浮得很好。

笨狼一点也没发觉是自己的双腿和双肘搁在浴缸

边上，完完全全把自己挂了起来。

"我已经会游泳了，我自己教会了自己，真聪明。"笨狼一边说，一边对着镜子中那只湿漉漉的笨狼竖起大拇指。

第二天，笨狼神气十足地走进了游泳馆。

青蛙妈妈正在教胆小的青蛙小妞学游泳。青蛙妈妈说："好宝贝，跳下去吧，一点也不要怕。"

"那么多的水，我害怕呀！"青蛙小妞直往妈妈怀里钻。

"小青蛙，别害怕，看我来表演，保证让你乐开了花。"笨狼一边哄青蛙小妞，一边伸伸臂，弯弯腰，再"扑通"一声跳进水里。

哎呀，冷水直往嘴里灌，身子直往水底沉！双手双脚乱扑腾一阵，笨狼不见了，水面上只见一串水泡在冒。

花背鸭看见了，一个猛子扎到水底下，把笨狼托出水面。青蛙妈妈动作快，赶紧丢下一个救生圈，套进笨狼的脖子。

可怜的笨狼趴在地上吐冷水，等他把肚子里的冷

水吐完的时候，地上准会流出一条小溪流。

青蛙小妞看见了，一边蹦蹦跳，一边拍着巴掌呱呱叫："快来看，快来看，你们快来看！奇怪，奇怪，真奇怪，笨狼的肚子像个水塔！"

青蛙妈妈听了很生气："小姑娘，没礼貌，妈妈要把你的屁股揍！"

屁股挨揍会痛的，青蛙小妞双腿一蹦一蹦，飞快地逃了！

青蛙妈妈也一蹦一蹦，紧追不舍。反正游泳池边只有那么大一点地方，青蛙小妞还能蹦跶到哪儿去！

眼看就要被妈妈追上了，青蛙小妞一着急，稀里糊涂蹦进了游泳池。

一跳到水里，青蛙小妞就游起来了，因为青蛙家族都是天生的游泳健将。

"妈妈、妈妈，你快来看，水里真好玩，我再也不害怕了。"青蛙小妞说。

"这可得感谢笨狼，是他的特殊教育法起了作用。"花背鸭笑着说。

青蛙妈妈和青蛙小妞眨着快活的大眼睛："笨狼，

谢谢你！"

青蛙妈妈带着青蛙小妞开心地游走了，花背鸭领着学生们开心地游走了，池边只剩下笨狼。笨狼开心吗？

哦，不，当然不开心！

笨狼想：我是照着书里写的方法游的，为什么不管用呢？一定是那些书在骗我！

"噜噜噜"，笨狼跑回家，抱来了那堆教游泳的书；"哗啦啦"，教游泳的书全被丢进了游泳池。

"我要让你们这些骗子也尝尝肚子里灌冷水的滋味。"笨狼说。

那些书，一本又一本，好像小小船，全都浮在水面上。笨狼看傻了眼："原来你们是一些只会自己游，不会教别人游的书。"

"那是我的书，我的书呀！"毛驴大伯急红了眼，飞身去救书，顺带一脚，把笨狼踢入了游泳池。

"快来救书呀！"毛驴大伯喊。

"快来救命呀！"笨狼喊。

幸亏有花背鸭和青蛙妈妈，一会儿，"命"和书

都救上来了。

毛驴大伯算了一笔账，笨狼因为损坏图书，要赔偿四十九个森林币；如果不赔钱，就得站在图书馆的大门口，对每一个进图书馆的动物微笑点头一个月。

笨狼愿意站大门口。

花背鸭愿意免费教笨狼学游泳。"你愿意跟我学吗，笨狼？"花背鸭问。

笨狼当然愿意。笨狼再也不用担心小个儿的花背鸭救不了他的命了，因为就像你已经知道的那样，花背鸭已经救过笨狼两回了。

19. 组装电视机

　　胖棕熊在森林大道卖出的糖果，已经使小动物们掉了一千一百一十颗牙齿。他把这个数字记在自己那本桦树皮账本的第一页上。

　　胖棕熊在开商店卖糖果的头一天，就去请教过青蛙大夫，不爱刷牙的小家伙要吃多少颗糖果才会长蛀牙；长了蛀牙以后，又要吃多少颗糖果，牙齿才会掉下来。

　　青蛙大夫用自己丰富的临床经验，加上高度智慧的逻辑推理，推算出：不爱刷牙的小家伙，在吃了一千颗糖果以后，肯定会长蛀牙；长了蛀牙以后，如果还不讲卫生，再吃七百九十七颗糖以后，牙齿就会掉。

胖棕熊回到杂货店，拿出算盘一阵拨拉，算出来，如果森林中的小动物掉到一千一百一十一颗牙齿时，他赚的钱就可以进城去抱回一台大彩电了。

早上，胖棕熊趴在柜台边，大爪子托着腮帮子发呆。看见小狗拉拉踢着松球从门前跑过去，胖棕熊赶紧叫住他："小狗拉拉，快来，快来吃新到的魔鬼泡泡糖。"平时，小狗拉拉的嘴可馋了，天天缠着狗妈妈要糖吃。

真没想到，今天，小狗拉拉却这样回答胖棕熊："不稀（吃），我不稀（吃）糖了。"

"拉拉，你怎么这样说话？"胖棕熊惊奇地问。

小狗拉拉低着头跑了。跟在后面的狗妈妈连忙替儿子回答："他的牙掉了，讲话关不住风。这不，我正要带他到青蛙大夫那儿去镶牙呢。这糖呀，我看他是有些日子不能吃了。"

胖棕熊听了，马上兴奋得手舞足蹈："真的吗？拉拉的牙也掉了？太好了，太好了，哈哈哈哈……"

狗妈妈说："我孩子的牙掉了，就值得你那么高兴？真是幸灾乐祸！"狗妈妈白了胖棕熊一眼，老大不高兴地走了。

胖棕熊打开桦树皮账本，用橡皮擦擦掉数字一千一百一十，用红笔写上大大的一千一百一十一，然后打开保险柜，把钱装进黑色的手提包里，关上店门，吹着口哨，摇摇摆摆进城去了。他这是去买大彩电。

傍晚，随着一阵惊天动地的吆喝，胖棕熊的大彩电运回来了。

动物们都争着去看稀奇，把胖棕熊的杂货店围得水泄不通。可是胖棕熊对他的大彩电宝贝得不得了，捂着盖着，就是不让大家看。他还挥舞着可怕的大爪子赶大家走："快走开，快走开，想看呀，你们自己去买一台嘛。"

小动物们不愿意走。"你不让看，我们偏要看。"淘气猴说着，"噌噌噌"爬上胖棕熊的屋顶，揭开屋顶上的瓦往里瞧。小猫、小松鼠、猪小胖趴在窗台上，笨狼和聪明兔挤在门缝边。

电视里正在播放动画片《米老鼠和唐老鸭》，真是好看得不得了。

看完了电视，笨狼问聪明兔："你说，米老鼠和唐

老鸭是怎么钻到那个盒子里去的呢？他们饿了的时候吃什么呢？晚上睡在哪里呢？白天要不要跑出来玩呢？"

聪明兔说："你问我，我问谁去？我和你一样，也是头一回看电视。"

打这以后，笨狼每天晚上都趴在胖棕熊家的门缝边看电视，看完电视就琢磨。现在，电视里不光放《米老鼠和唐老鸭》，还放《鼹鼠的故事》《大闹天宫》《龙宫探宝》和别的好多好多节目。只是笨狼越来越闹不明白了：那个小盒子里，怎么就装得下那么多的小人和小动物呢？

琢磨来琢磨去，笨狼一拍脑门，恍然大悟。他不再到胖棕熊家看电视，而是在家里"嘭嘭嘭嘭"敲开了。小伙伴们天天趴在房顶上、窗台上、门缝边看电视多不方便啊，我没有钱买电视机，就照着样子自己动手做一个吧，笨狼这样想。这样想着，笨狼敲打起来就特别有劲儿。

笨狼首先做了一个小小的木箱子，做好以后，他大声喊："你们愿意到我的电视机里来表演节目吗？"

小动物们都来了，看着木箱子怪好玩的，谁都想跨进去试一试。可惜箱子太小了，刚刚够一只小老鼠和一只小花猫在里面转动身体。

小老鼠得意地翘翘胡子，钻了进去。

小花猫得意地翘翘尾巴，钻了进去。

笨狼把箱子盖合上，就听到里面两位"电视明星"在拼命挣扎，弄得木箱子也动起来，像是在跳踢踏舞。

"糟了，我忘了给电视机装屏幕了。结果，我们只听得见他们的声音，却看不见他们的动作。"笨狼说。

聪明兔说："你快把箱子打开吧，再不打开，他俩要闷死了。"

小老鼠从箱子里爬出来，牙齿直哆嗦："太可怕了！太可怕了呀！"

小花猫从箱子里爬出来，倒抽一口凉气："那么黑那么黑那么黑呀！"

这时，胖棕熊家的电视机响了，小伙伴们都朝胖棕熊家跑去，只留下笨狼独自对着空箱子发呆。

笨狼决定改进他的电视机。

几天以后，森林广场的平台上竖起了一个像小房子那么大的木箱子。箱子的正面，有一个大大的窗口

一样的木框；背面，是一扇活动的小门。大家都来看这座奇特的小木屋。

可是，当笨狼站在木房子里，向大家喊："谁愿意到我的电视机里来表演节目呀？"大家都不吭声，因为，他们被上次小老鼠和小花猫的经历吓怕了。

辛辛苦苦做出了电视机，却没有谁愿意到电视机里来当明星，笨狼失望极了。

还是聪明兔理解笨狼，聪明兔说："我来表演吧。"

聪明兔在电视机里表演《拔萝卜》，还喊来小狗、小猫和小老鼠帮忙，一块儿把萝卜抬回家。

节目表演得真不错，大家看得很开心，笑声一阵阵，惹得胖棕熊心里直发痒，不看自己家里的大彩电了，也跑到广场来看笨狼发明的木头电视机。

这台木头电视机真好，森林里的每一位居民都可以到里面去表演节目，天天都有新的节目看。

再也没有谁挤到胖棕熊的家门口去偷看电视了，胖胖棕熊觉得怪寂寞的。

有一天，胖棕熊找到笨狼，说："我想到你的电视机里去当一回明星，行不行呀？"

"行！"笨狼非常爽快地答应。

"把你的电视机也搬到森林广场上，让大家都看到，行不行？"笨狼问胖棕熊。

"不行，那是我的私有财产。"胖棕熊说，"但是，我可以让你到我家里来看电视，来看两回。"

"不行，两回太多，只准看一回。"胖棕熊又说。

胖棕熊到广场上的木头电视里当明星去了，他表演的节目是"胖棕熊爬树偷蜂蜜"，简直棒极了。

笨狼在胖棕熊家里看电视。看着看着，笨狼突然想：胖棕熊不让大家来看电视，我就把彩电里的那些电视明星都找出来，请他们到我的木头电视里去表演。

这真是一个好主意，以前怎么没有想到呢？

笨狼用螺丝刀打开了胖棕熊的大彩电。

胖棕熊回到家里时，看到了什么呢？看到了一台拆得七零八落的电视机，和一个抱着脑袋发呆的笨狼。笨狼正在想：藏在电视机里的明星们都到哪里去了呢？

胖棕熊一声惨叫，就好像谁把他的心挖去了一样。

动物们全都跑来了，他们想知道胖棕熊出了什么事。

胖棕熊的大彩电已经变成一堆破烂了。

笨狼说："我把广场上的木头电视机赔给你吧。"

"我不要。你的电视机那么大，我的房子里根本放不下。"胖棕熊一边跺着脚，一边挥着拳头。他多么多么想把笨狼揍扁啊！

"你不要，我们还不乐意给你呢。那电视机是我们大家的，比你的破彩电强多了。"小动物们齐声说。

胖棕熊说自己的大彩电如何如何好，但是大伙儿都不信他的话。大伙儿一致认为，广场上的木头电视机比胖棕熊的彩电强一百倍。

青蛙大夫说："你总是独个儿看电视，再好又有什么用？它还是用小动物们的一千一百一十一颗牙齿换来的，你还好意思留着？"

"有你这么开商店的吗？想方设法骗小家伙们吃糖。"猪妈妈说。

"你把我们害虎（苦）了。"小狗拉拉因为掉了的牙齿还没有完全镶好，讲话还是关不住风。

胖棕熊气得牙痛，只顾抱着他那毛乎乎的脸，"嘎吱嘎吱"磨牙。

青蛙大夫夸奖笨狼："你做了一件好事，让胖棕熊明白了，昧心的钱是不能赚的，赚回来了也会飞走。"

笨狼眨眨眼睛，问道："彩电里的明星，像唐老鸭、米老鼠、孙悟空他们，是不是也因为不喜欢胖棕熊，才都飞走了呢？"

问得全体动物大眼睛瞪小眼睛，不知该如何回答。

20. 有用的合同

　　胖棕熊把那一堆被拆得乱七八糟的零件塞进麻袋里，飞快地翻着墙上的日历本，一直翻到三月十五日才停下来。

　　为了三月十五日能早些到来，胖棕熊的生活进入了倒计时。

　　现在，在胖棕熊杂货店门口，你能看到一块巨大的牌子，上面用红色油漆写着：离三月十五日，还有八天。

　　动物们互相打听：胖棕熊要干什么？

　　青蛙大夫见多识广，他说："听说有个三月十五全球消费者权益日，胖棕熊一定是想用他的破彩电去换台新的回来。"

猪太太担心地问："胖棕熊，人家能给你换吗？"

"这就得看本事了。要是你去了，准没戏；我去了嘛，他不换也得换。"胖棕熊说。

终于到了三月十五日这一天，胖棕熊背上麻袋，一早就进城去了。

胖棕熊跑到城里的电器商店，找到经理，直截了当地说："我上次在你们这儿买的彩电已经被拆成零件了，我要用这些零件换台新的。"

经理当然不同意："我们卖的是整件，不回收零件。"

胖棕熊坐到商店门口，把麻袋里的零件往地上一摆，一把鼻涕一把眼泪地哭起来："这个商店坑害消费者，我买的大彩电，刚看了不到一个月就变成废品了。"

门口马上挤满了围观的人。马上就有电话打到全球消费者权益保护协会反映情况。

城里的动物保护协会也马上行动起来，他们在商店门口竖起标语："友好地对待动物，是文明人起码的职责。""地球，我们共同的家园。""胖棕熊，我们的兄弟，我们支持你！"

商店经理被弄得焦头烂额，他想：啊，只要这头闹事的胖棕熊能离开，我愿意送他十台彩电！

胖棕熊倒没那么贪，他说："我只想要我自己的东西——一台电视机，不是十台电视机。"

他这话是对着许多人和许多摄像机说的。

"多么高尚的动物啊！损害他权益的人听了，作何感想？"电视记者评论道。

商店经理的感想是：我想一枪崩了他。但他不敢，他真正做的，是一拳砸了自己的电视机。

到傍晚，胖棕熊迎着动物们羡慕的目光，扛回来一台新彩电。

有了新彩电，胖棕熊还不罢休。他摇摇摆摆地走进警犬阿黄家："我给你一袋巧克力豆，你替我把笨狼抓来，罚他为我干一个月活。"

阿黄说："我不要一袋巧克力豆，我要二十袋香肠。"

胖棕熊说："十九袋半，不能再多了。"

就这么定了，两个坏蛋拍手成交。

第二天，笨狼收到一张罚款通知书：

笨狼损坏胖棕熊彩电一台，罚款十万个森林币。如果笨狼不愿交十万个森林币，可为胖棕熊干活一个月做抵押。

警察局森林科

某月某日

聪明兔看了罚款通知书，去找胖棕熊讲理："你不知道森林银行一共只发行九万九千九百九十九个森林币吗？你要笨狼到哪里去找十万个森林币呢？"

"哈哈哈，我当然知道啦！我还知道我的森林币多得装不下了，我店里缺的不是森林币，而是帮手。"

"你真是个坏蛋！"聪明兔气愤地说。

笨狼一点也不生气，他还劝聪明兔："损坏东西当然要赔偿。你放心吧，我喜欢干活。我现在正愁没事干呢。"

胖棕熊说："为了让你节省时间多干活，白天只

许吃一顿饭。"

"行，"笨狼说，"但我得吃饱。"

笨狼看看店里那些好吃的，咽了口口水，小心地问："就让我吃你店里的东西，行吗？"

胖棕熊白捡了一个帮手，心里正高兴，就大方地说："行呀。"

胖棕熊拿出一份合同书，上面写着：

笨狼为胖棕熊干活一个月。

胖棕熊每天供给笨狼一顿饭，管饱。

胖棕熊手印脚印

笨狼手印脚印

某月某日

合同一式两份。胖棕熊把合同的内容念给笨狼听，笨狼要求胖棕熊再写上"吃店里的东西"。胖棕熊就重新写了一份合同书：

笨狼为胖棕熊干活一个月。

胖棕熊每天让笨狼吃一顿店里的东西，管饱。

胖棕熊手印脚印

笨狼手印脚印

某月某日

签完了合同，笨狼就留在胖棕熊家干活。

胖棕熊家的活真多。当然，以前并没有现在这么多。胖棕熊怕笨狼闲着，特意买了十只水缸放在院子里，水缸大得吓人，笨狼要搬了梯子才能爬上去。

胖棕熊喊："笨狼，你先把阁楼扫一扫。"

哪是什么阁楼呀，简直是胖棕熊家的祖传垃圾堆，灰尘都堆到屋顶去了。

笨狼一筐一筐地往外头运垃圾。胖棕熊跷起二郎腿喝茶。

一直到天黑，笨狼才好不容易把阁楼清扫干净。笨狼的肚子早就饿得"咕咕"叫了。

胖棕熊满意地点点头："小伙子，活干得不错！现在吃饭吧，店里的东西随你吃。"

店里好吃的东西很多，但笨狼实在太饿了，没心

思挑选，随手抓着什么就吃什么。

笨狼一口气吃了五个面包才抬起头来。

抬头就遇上了胖棕熊瞪得大大的眼睛："你吃饱了吗？"

笨狼摇摇头："还没有呢！"又吃了五个面包，喝了五杯牛奶。

胖棕熊心疼得牙痛又犯了，他龇着牙咆哮："现在你该吃饱了吧？"

笨狼不好意思地笑笑："对不起，还有一点点没饱。你放心，我不会吃得像刚才那么快了，我要挑一点我最爱吃的火腿肠和蛋糕，慢慢吃！"

"你还要吃呀！"胖棕熊急得哭起来。

第二天一早，胖棕熊还没起床，笨狼就来敲门了："胖棕熊先生，我来干活儿了！"

胖棕熊打开门，他的腮帮子上敷着膏药，说起话来无精打采："你别干了，你欠我的钱我不要了！"

"那怎么行呢？说好了我干一个月活的呀！"笨狼认真地说。

　　警犬阿黄骑着摩托车，正要去警察局上班，听见笨狼和胖棕熊在争吵，便停下车过来问："什么事？"

　　笨狼告诉警犬阿黄是怎么回事，还把合同给阿黄看。

　　阿黄问胖棕熊："笨狼给你干活，每天只吃一顿饭，你不是很合算吗？为什么不让他干了呢？"

　　胖棕熊叫起来："吃一顿是没错，可谁想到他一顿吃得比十顿还多！"

　　聪明兔也来了，聪明兔说："那是因为你让他干活干得太多了。你让他少干点活，他就不会吃那么多了。"

　　"我不让他干，行吗？"

　　"那可不行，违反合同是犯法的。"警犬阿黄说，"必须严格按合同执行。"

　　胖棕熊把阿黄拉到一边："我原来的意思你不是不明白，我是想让他给我白干活。没想到这家伙这么能吃，这样下去，我会亏得很惨的。"

　　"这个我不管。"阿黄说，"你托我办的事我办了，我收了你的报酬——十九袋半香肠。那件事，我们两清了，谁也不欠谁。我现在要管的是这件事。你如果违反合同，我就处罚你；笨狼如果违反合同，我就处罚笨狼。"

没办法，胖棕熊只好让笨狼继续留下来干活。但，他再也不让笨狼干重活累活了。

可笨狼偏偏又是个闲不住的家伙，看到水缸里没水了，笨狼要去挑水。胖棕熊急忙把扁担抢过来："我去挑，我个子比你大，挑得比你多。"

为了不让笨狼有机会去挑水，胖棕熊每天半夜就起床，把十个水缸灌得满满的。

笨狼实在太喜欢干活了，一刻也闲不住。胖棕熊没办法，只得进城买了一百双皮鞋，让笨狼不停地刷。

不再干重活，笨狼吃得少多了，但现在胖棕熊每天又得损失二十支鞋油。

整整一个月，胖棕熊的牙痛都没好，腮帮子上的膏药贴了一层又一层。

21. 电话和门铃

笨狼家装上了电话，还安上了电子音乐门铃。

笨狼很高兴，他打电话请朋友们来家里玩："小狗拉拉，到我家来玩吧。"

小狗拉拉来了。"笃笃笃"敲门，门没开，小狗拉拉就说："笨狼不在家，我还是回去找淘气猴玩吧。"

门里面一个声音说："我在家。"

"在家为什么不开门？你没听见我敲门吗？"小狗拉拉问。

"敲门不算，得按门铃，我的门上新装了电子音乐门铃。"笨狼说。

小狗拉拉没办法，只好按门铃。

门铃"丁零丁零"一响，笨狼马上就把门打开了。

玩了一会儿，小狗拉拉说："我们打电话叫聪明兔来一起玩吧。"

笨狼给聪明兔打电话。电话里传来"嘟嘟嘟"的忙音。笨狼想：一定是聪明兔正在打电话，我过一会儿再打过去。

过一会儿再打，还是传来"嘟嘟嘟"的忙音。

又过了一会儿，还是一样。

小狗拉拉想了想，说："一定是聪明兔家的电话没放好，我们的电话才打不进去。"

笨狼听了，马上放下电话，以百米赛跑的速度，朝聪明兔家冲去。

聪明兔正在家里搅胡萝卜酱，看见笨狼慌忙火急地冲进来直奔电话机，吓了一大跳！

"你要干什么？"聪明兔问。

"你家的电话机没放好，话筒没有挂上去。"笨狼说着，把聪明兔刚才没搁好的电话筒"咔嚓"挂上去。

聪明兔还没有来得及向笨狼说声"谢谢"，笨狼

早已慌忙火急地跑了。

"你干什么去？"聪明兔大声问道。

"我去给你打电话！"笨狼双手握成喇叭状，在老远的地方回答。

一会儿，聪明兔家的电话"丁零丁零"响了。

是笨狼打来的，他说："聪明兔，到我家来玩吧。我和小狗拉拉在等你！"

聪明兔埋怨说："你刚才到我这儿来的时候，为什么不当面告诉我呢？你要是告诉我，我就和你一块儿去了嘛！"

"当面告诉你，那我的电话不就白装了嘛！我和小狗拉拉说好了，要打电话约你来玩的呀！"笨狼叫起来。

"好吧，我马上就来。"聪明兔说。

聪明兔放下电话，刚走到门口，"丁零丁零"，电话又响了。

"喂，我是聪明兔，你是谁呀？"

"我是笨狼。我刚才忘了跟你说再见了。打完电话的时候，应该礼貌地说声再见，对不对？我现在要把'再见'补给你，再见，聪明兔！"

聪明兔来到笨狼家，见门开着，笨狼和小狗拉拉玩得正起劲，就直接走进门，和他们一起玩。

笨狼当司机，小狗拉拉和聪明兔当乘客，坐着过山车，一路"呜呜"叫着去冒险，好玩又刺激。

大家玩得正开心，突然，当司机的笨狼来了一个急刹车，毫不留情地把乘客赶下了过山车。

笨狼想起了一件事，他说："聪明兔，你刚才没按门铃就进门来了，这可不行。"

"刚才你家的门是开着的呀！"聪明兔说。

"我现在把门关上，你站到门外去按门铃。我请你进来，你再进来，好不好？"笨狼说。

聪明兔不同意，他说："我现在已经进来了，为什么还要出去呢？"

小狗拉拉也说："这一次就算了，下次来的时候，我们一定多按几下。"

但是，笨狼挺坚持原则，他说："一次也不能算了，我的门铃不能白装。"

没办法，聪明兔只得委屈地走到门外，踮起脚尖，把门铃按得"丁零丁零"响。

22. 聪明的小偷

有一天晚上，月亮特别圆，星星特别亮，笨狼不想独自待在家里，他出门去找聪明兔玩。

聪明兔家的门开着。笨狼推门进去："聪明兔！聪明兔！"

好久都没听到回答，看来聪明兔不在家。

桌上放着一本漂亮的图画书。

笨狼见过这本图画书，讲的是一个海盗和七个飞人的故事，好看得不得了。

笨狼早就想借这本书看了，但聪明兔不肯，他说："不行，我还没看完呢！"

笨狼很想知道红鼻子海盗有没有被七个小飞人抓住，他不由自主地拿起了桌上的书。

走到门口，笨狼又转回来，因为他想：这可是聪明兔不肯借给我看的书呀，我一定不能让他知道是我拿走了；等看完了，我再悄悄地还回来。

笨狼找出纸和笔，在桌上留了一张字条：

笨狼没来过聪明兔家，没有看见桌上的图画书，也没有把桌上的图画书拿走。

证明人：笨狼

某月某日

笨狼把字条放在桌子上，就拿着书，放心地回家去了。

一阵风从窗口溜进来，看见桌上有张字条，就把它轻轻地吹起来玩。

风儿玩了一会儿就走了，把字条扔在地板上。

聪明兔出门和小狗拉拉玩了一会儿，回家发现图画书不见了，急忙到警犬阿黄那儿去报案。阿黄到现场仔细察看时，在地板上找到了一张字条。聪明兔把字条一念，大家全都笑起来："真是一个聪明的小偷！"

第二天，笨狼在街上碰到警犬阿黄，阿黄说："笨狼，你可要早点把图画书还给聪明兔！聪明兔知道是你偷了图画书，他不愿意起诉你，否则，你又要坐牢了。"

笨狼听了大吃一惊："你们怎么知道是我拿走了图画书？"

"因为昨天晚上聪明兔没有来报案，我也没有到聪明兔家里去，也没有看到你留下的字条呀！"阿黄故意说。

"怎么会没有字条呢？我留了字条的呀，还写上了证明人：笨狼。"

笨狼把书塞在裤兜里，到聪明兔家去。他想：要是聪明兔又不在家就好了。

聪明兔偏偏在家。

聪明兔热情地请笨狼吃水果，一点也没提图画书的事。

笨狼坐立不安，他不知道该如何从口袋里把图画书掏出来交给聪明兔。

聪明兔早看出笨狼是来干什么的了，他说："笨狼，你刚才在外面捡到了我的图画书，是不是？"

"不是。你的图画书没在外面，在我口袋里。"笨狼回答。

"哦，是这样呀。刚才我的图画书不见了，我还以为是掉到外面的大树底下去了呢。"聪明兔说。

"图画书又没长脚，怎么能跑到树底下去呢？"笨狼开心地笑起来，"都说我笨，依我看，你比我还笨呢！"

23. 魔法南瓜

一天黄昏，笨狼在山坡上散步，碰上尖嘴狐狸。尖嘴狐狸喜欢装神弄鬼，将自己打扮得像一个魔法师，来骗小动物的口香糖吃。尖嘴狐狸看见笨狼来了，连忙盘腿坐到石头上，闭着眼睛，对天空吹气。

"你在干什么？"笨狼围着尖嘴狐狸走了一圈，没弄明白他在干什么。

"我正在往天上吹月亮和星星，你别打扰我。"尖嘴狐狸说。

笨狼抬起头看天上，天上的月亮和星星也笑眯眯地看笨狼。

"你看，月亮和星星都已经在天上了。"笨狼说。

"那是我刚才费了好大的劲儿才吹上去的。"尖嘴狐狸从石头上摇摇晃晃地站起来说，"我的劲儿已经使尽了，但是，要让月亮星星不掉下来，还得再吹三口气，要再吹三口气，我就得吃三块口香糖。"

笨狼仔细看着头顶上的星星和月亮。星星和月亮就那么浮在天上，也没个钩子挂着、篮子装着，还一闪一闪晃眼睛，真的好像就要往下掉一样。

在夜里，森林小镇的小动物们都喜欢坐在草地上数星星，可千万不能让星星掉下来，砸坏了他们的脑袋。

笨狼的口袋里正好有三块口香糖，但是，他舍不得都给尖嘴狐狸。他试探地问："只吃一块不行吗？"

"只吃一块，我就只能把气吹得像屋顶那么高，够不着星星和月亮。"

"吃两块呢？"

"吃两块，也只能吹得像树顶那么高。"

既然是这样，那就没办法了。笨狼只好把手伸进裤袋里，慢慢地把三块口香糖都掏出来。口香糖还带

着笨狼的体温，热乎乎的呢。

尖嘴狐狸一把夺过口香糖，连糖纸都顾不上剥，全塞进了嘴里。

尖嘴狐狸又鼓起腮帮子，一连吹了三口气。

"行了，月亮和星星都掉不下来了，回去吧。"尖嘴狐狸走了。

尖嘴狐狸刚才吹气的时候，一点也没使劲儿，那气管用吗？笨狼有点不放心，就坐在大石头上守着。他想：一会儿月亮和星星真的掉下来，他就可以赶快接住，不让它们沾上灰尘。

已经是晚上了，山坡上静悄悄的。过了许久，也没见月亮和星星掉下来，笨狼就轻手轻脚往回走。他怕走得太响了，会把天上的星星和月亮震下来。

突然，一只毛茸茸的爪子抓住了笨狼，把他吓了一跳。

仔细一看，原来是尖嘴狐狸。

"我还有一样礼物送给你，我不能白吃你那三块口香糖！"尖嘴狐狸说。

尖嘴狐狸将一颗南瓜子递给了笨狼，还把尖尖的嘴凑到笨狼耳边，压低声音，神秘兮兮地说："这是一颗有魔法的南瓜子，它能创造奇迹！"

笨狼眨巴着眼睛，想问清楚会有什么奇迹，尖嘴狐狸却不见了。

回到家里，笨狼坐在电灯下，拿出放大镜对着南瓜子看到半夜，也没看出什么名堂来。

笨狼自言自语："尖嘴狐狸又在骗我了。唉，我早就该知道，尖嘴狐狸是个骗子。"

他把南瓜子放进嘴里，牙齿咬下去，"嘎嘣"，好香。

笨狼把南瓜子吃了没有？没有。他只是有点想吃，还把南瓜子放进嘴里含了一会儿。

后来，笨狼在院子里挖了一个坑，把南瓜子埋了进去。

中午，他把土刨开，看看南瓜子变出什么来了没有。晚上，他又把土刨开，看看有没有什么让他大吃一惊的东西。但是，什么也没有。因为坑太大，填的土太多，这么刨来刨去的，结果连南瓜子都给弄不见了。

不见了就不见了吧，笨狼还有许多别的事儿要操

心呢：苹果树上有四只鸟宝宝没吃的，花背鸭又孵出了小宝宝。

笨狼整天忙呀忙的，把南瓜子的事儿忘了。

但是，种在地里的南瓜子，却没忘了自己是一颗南瓜子。它发了芽，两片翠绿的叶子小巴掌一样在风里轻轻地拍呀拍。

南瓜芽长呀长，很快长成了南瓜苗，南瓜苗长呀长，很快变成了南瓜藤。

长长的南瓜藤上开了黄黄的南瓜花，等黄黄的南瓜花落下时，胖胖的南瓜露出了小脸蛋。

又过了一些时候，笨狼突然在自己的院子里发现了一只红红的大南瓜。

笨狼大吃一惊，他结结巴巴地说："哎呀，哎呀，哎呀，哪里来的这么大这么大这么大的大南瓜呀？"

他记起了尖嘴狐狸说过的话，这只红红的大南瓜，一定就是那颗有魔法的种子变的！

笨狼抱着大南瓜，跑出家门。他要到他的好朋友聪明兔家里去，让聪明兔看看这个突然冒出来的大南瓜。

他跑得太快了，"咕咚"一个跟头，笨狼和大南瓜都滚倒在地上。

笨狼的肚子摔疼了，大南瓜的肚子摔破了。

笨狼抱着大南瓜，走进了蜘蛛小姐的裁缝铺，请蜘蛛小姐替他把摔破了的南瓜补起来。蜘蛛小姐说什么也不干，因为她这辈子还没干过这种荒唐事。她说："摔破了多好，还省得用刀去切。我煮南瓜的时候，就总是狠劲儿往锅里摔，吃一个南瓜就要砸破一

口锅。"

笨狼问蜘蛛小姐："你家的南瓜是怎么长出来的？"

"南瓜藤上结的呗。先是小南瓜，再一点点长成大南瓜。"蜘蛛小姐回答。

"要是一天早上，你突然在自己的院子里发现一个大南瓜呢？就跟这个一模一样该怎么办？"

蜘蛛小姐睁大眼睛，听得一愣一愣的。

结果，蜘蛛小姐戴上老花眼镜，在南瓜的肚子上缝上一条黑拉链。"嘶"地一拉，肚子打开了，再"嘶"地一拉，肚子又关上了，你瞧多好玩儿！

笨狼高高兴兴地离开裁缝铺。

蜘蛛小姐却关上门，愁眉苦脸地到青蛙大夫的诊所去了，她怀疑自己的脑子出了毛病。

笨狼来到聪明兔家，大老远就叫起来："聪明兔，你快来看呀！"

聪明兔不知道出了什么事，连蹦带跳跑出来，一看，原来是个大南瓜。

除了肚子上有一条拉链之外，聪明兔实在看不出来这南瓜有什么特别的地方。

"你知道吗？它是突然、突然从院子里钻出来的呀！我以前没有看见南瓜藤，也没看见小南瓜呀！它一定是个有魔法的南瓜，对不对？"

聪明兔听笨狼说了尖嘴狐狸和魔法南瓜子的事，心里早明白了这南瓜是怎么来的，但他没有说出来。

聪明兔说："笨狼，祝贺你得到了这么大一个魔法南瓜。你现在把魔法南瓜子分给大家好吗？明年，大家就都会像你一样幸运。"

笨狼当然同意，他"嘶"的一声打开南瓜肚子上的拉链，从里面掏出了一把南瓜子。

动物们都得到了一颗南瓜子。

"要想得到一个魔法南瓜，首先就得学会种南瓜，还要种得和笨狼一样好。"聪明兔告诉大家。

"我可没种过南瓜，真的没种过南瓜！"笨狼着急地说。

大家都笑起来。

尖嘴狐狸背着双手走过来，他说："你没种南瓜，这南瓜是哪儿来的呢？它是我的魔法变来的，应该归

我。”

笨狼想了想，觉得尖嘴狐狸的话有道理，就把大南瓜给了尖嘴狐狸，自己只留了一把南瓜子。

尖嘴狐狸抱着大南瓜，乐颠颠地跑了。

聪明兔看着，可生气了，他追上尖嘴狐狸，说：“你这个骗子，快把南瓜还给笨狼，不然，我们把你的尾巴揪下来。”

尖嘴狐狸最怕小动物们揪他尾巴，因为他的尾巴不是真的，是用狗尾巴草扎成的，一揪就会掉下来。他的真尾巴，在好多好多年以前，就被猎人打断了。

尖嘴狐狸只好乖乖地把大南瓜送回笨狼的院子。

笨狼哼着歌儿回到家，刚一跨进院子，就惊讶地叫起来：“这么大这么大的大南瓜呀！”

笨狼张开双臂，朝南瓜扑过去，捏在他手心里的南瓜子，纷纷扬扬撒进院子里的泥土中。

等到明年，我们一定又会听到笨狼惊喜的叫喊声：“哎呀，哎呀，哎呀，这么大这么大的大南瓜呀！”

24. 快乐的星期天

这是一个晴朗的星期天。上午，笨狼走出家门，他和聪明兔约好了一块儿去游乐场玩碰碰车。

森林小镇很热闹。狐狸小姐逛时装店，黑羊妈妈和白羊妈妈比着劲儿织毛衣，猪小胖和小狗拉拉在大街上赛独轮车。

"你好，笨狼，咱们玩不成碰碰车了。你看，小刺猬跟着呢。"聪明兔不高兴地说。

原来，刺猬妈妈到水果店帮忙运苹果去了，托聪明兔照顾小刺猬。

"我们一块儿去玩，不行吗？"笨狼问。

"谁敢跟小刺猬一块儿玩碰碰车呀？他往你身上一碰，准刺得你受不了。"聪明兔说。

确实，在森林小镇，谁也不敢和小刺猬一起玩。每当大家做游戏的时候，小刺猬总是站在一旁，远远地看着。

小刺猬真可怜呢，笨狼决定帮帮他。

路边就是猩猩大叔的铁匠铺。炉火烧得红红的，猩猩大叔却不在。

笨狼有一个好主意。他拉着聪明兔和小刺猬，偷偷进了铁匠铺。

聪明兔"呼哧呼哧"地拉风箱，笨狼举起烧得红红的大钳子，把小刺猬满身的刺一根一根烫卷了。

好了，大家可以开开心心玩碰碰车了。

刺猬妈妈来找小刺猬时可吓了一跳："我的小刺猬怎么变成小怪物了？"

"是我帮他把刺烫卷的，好让他和我们一起玩。"笨狼得意地说。

"还能让这些刺变直吗？"刺猬妈妈担心地问。

"我只想过烫卷，可没想过怎么弄直。"笨狼说。

小刺猬急得都要哭了："糟啦，要是我的刺变不直，我将来就不能运苹果了。"

笨狼揪着自己的尖耳朵，使劲儿想办法。

用梳子梳，不行。

用钳子夹，也不行。

突然，笨狼眨巴眨巴眼睛，看见了蜘蛛小姐的裁缝店。

好主意又来了：用熨斗熨。

还真管用。只一会儿，小刺猬的刺就又变回了原样。

下午，笨狼看见胖棕熊腆着大肚子，摇摇摆摆走进了"怪物酒店"。

笨狼不喜欢喝酒，所以，他只是站在玻璃窗外看着。

胖棕熊、尖嘴狐狸、警犬阿黄和胖鼹鼠坐在一张桌子旁，一边喝酒，一边玩纸牌。胖鼹鼠从口袋里掏出一颗糖，剥开，丢进嘴里。笨狼看见那张糖纸非常漂亮，上面画着彩色魔方。

"等等，把那张糖纸给我！"笨狼大声说。

但是，胖鼹鼠没有听到，他顺手把糖纸丢到了桌子底下。

笨狼冲进酒店，撅起屁股，往桌子底下钻。

"你干什么？"胖棕熊气呼呼地说。

"找东西。"笨狼在桌子底下回答。

"找东西？是金币吗？"尖嘴狐狸猛地跳起来，老花眼镜都差点掉了。

"哎呀，我好多年没见过金币了呀！"警犬阿黄说着，利索地往地上一趴，用身体将桌底盖得严严实实。

胖棕熊也不是好惹的。"你想独占金币？没门儿！"他抄起阿黄的两条腿，使劲一抢，"哗啦"，阿黄冲破窗玻璃，落到了酒店外头。

胖鼹鼠实在太胖了，身体转动得慢，但眼睛尖，脑瓜灵。他看见尖嘴狐狸的爪子往上衣口袋里插了一下，便猛扑过去，死死揪住那个口袋，硬是把尖嘴狐狸的上衣撕成了两半。

这个时候，笨狼早已把那张糖纸捡起来了。他站起身来看着"乒乒乓乓"打成一团的胖棕熊、警犬阿黄、胖鼹鼠和尖嘴狐狸，惊奇地问道："你们在干什么呀？"

大家打得正欢，全没工夫理睬笨狼。

笨狼对着天空举起糖纸，高兴地说："真的是一张魔法糖纸呢，能把太阳光变出七种颜色！"

笨狼吹着口哨，蹦蹦跳跳地走了。

刚走出几步，笨狼又回转身来，他不放心酒店里那帮打架的家伙。

"喂，你们要不要帮忙呀？"笨狼问。

笨狼回来得太及时了。现在，架打完了，四个受伤的家伙正躺在地上喘粗气。

"快叫救护车来！"胖棕熊和警犬阿黄吼叫。

"救……护……车！"胖鼹鼠和尖嘴狐狸呻吟。

笨狼马上叫来救护车，帮着青蛙大夫把断了腿的警犬阿黄、闪了腰的胖棕熊、摔破了鼻子的尖嘴狐狸、磕掉了牙的胖鼹鼠送进医院。

"你知道他们是为什么打架吗？"青蛙大夫问。

"不知道。不过，我很高兴自己能帮助他们，把他们送进医院。"笨狼回答。

25. 篮球赛上的精彩表演

森林里正在举行篮球比赛，球场上彩旗飘扬，喇叭里传来鹦鹉小姐清脆的声音："各位观众，下面这场精彩的篮球冠亚军决赛，将在机灵鬼队和硬汉子队之间进行。机灵鬼队上场的队员是聪明兔、花猫、红狐狸、长颈鹿和我们大家喜爱的小笨狼；硬汉子队上场的队员是胖棕熊、肥猪、黄牛、灰象和大猩猩……"

裁判员一声哨响，比赛正式开始。红狐狸第一个得到球，他使出吃奶的劲，朝对方防守的篮球架飞奔。硬汉子队的五名队员像一阵狂风暴雨一般，朝红狐狸扑过去。机灵鬼队的其他四名队员怎甘示弱，也奔上前去支援。眼见黄牛堵住了红狐狸的退路，大猩猩仗着自己的手臂长，伸手就抢红狐狸怀中的篮球。这可急坏了笨狼，他一猫腰钻过大猩猩的手臂，红狐狸不失时机，将球传给了笨狼。

笨狼抬眼一看，前面的路已被硬汉子队的五名队员堵得严严实实，但后边那个篮球架下却空空荡荡的。"嘿，是个好机会，你们拦住这边，我就朝那边跑，准能进个漂亮的球！"笨狼迅速穿过空无一人的后半场，利索地把篮球送入了篮圈。

"哈，球进了！"笨狼好高兴，带头鼓起掌来。

观众席上静悄悄的，场上机灵鬼队和硬汉子队的九名运动员，全都像木头似的站在原地，睁大眼睛看着笨狼。

"这是怎么回事？"

"嚯！"裁判员一声哨响，"这个球算硬汉子队的，硬汉子队得两分！"

硬汉子队那边的五名运动员抱成一团，欢呼过后，他们又排成一队，很有礼貌地向笨狼鞠一躬，说了好多声"谢谢"。

笨狼向裁判员抗议："我是机灵鬼队的，我投篮得的分应该归机灵鬼队，不能归硬汉子队！"

抗议无效。

聪明兔指着硬汉子队那边的球架告诉笨狼："我们投的是那个篮圈，你要把球投进那边的篮圈里，才算我们得分；要是投到我们自己这边，就算他们得分。"

"哦，我明白了。"笨狼认真地点点头，马上投入了紧张的比赛。

现在由硬汉子队控制球。胖棕熊跳起来，把球传给肥猪，长颈鹿机灵地一扬脖子，把球截住了，来个

漂亮的头球，球便飞入了笨狼的手中。笨狼瞄准硬汉子队那边的篮圈，以百米冲刺的速度，抱着球迅速来到篮板下，一个漂亮的转身投篮，好，球又进了。

笨狼一边欢呼，一边拍手，同时在等待更多的掌声响起。

但他等来的不是掌声，而是一片嘲笑声。

裁判员说："笨狼犯规了，这个球不算！"

"我犯了什么规？我投的是硬汉子队那边的篮圈！"笨狼伸长脖子争辩。

"你带球跑，这是犯规。以后可不能抱着球跑，懂吗？要一边跑一边在地上运球！"聪明兔一边给笨狼示范，一边说。

花猫队长迅速改变战略部署："笨狼，你不要再管投篮的事了，你打后卫，只管盯住灰象，别让他抢到球。"

笨狼点头同意。运动员们各就各位，比赛继续进行。

花猫把球传给了聪明兔，灰象看见了，奋起直追。笨狼勇敢地拦住灰象，但灰象轻轻一扬长鼻子，笨狼

就"扑通"一声倒下了。

灰象得到了球，迅速朝机灵鬼队那边的篮圈撤退，企图投球入篮。情急之中，笨狼一把揪住灰象的鼻子，将灰象刚要抛出去的球搂在怀里。灰象的鼻子憋得难受，想甩掉笨狼，结果，"扑哧"一声，随着灰象的一个喷嚏，笨狼像个热气球似的被送入了空中，转眼之间无影无踪。

运动场上静悄悄的，大家都仰起脸看着空中，等待着笨狼什么时候掉下来。救援人员迅速拖来许多海绵床垫，铺在运动场上——大家都太喜欢笨狼了，怕他掉下来的时候会伤着。

主席台上架起望远镜，请来猫头鹰先生用他明亮的眼睛贴着望远镜注视天空。

终于传来了猫头鹰先生深沉而兴奋的声音："赶快抬头注视天空，笨狼已出现影子……"

大约四分钟后，笨狼飞入了球场上空。

大约四分三十秒后，大家看见了怀抱篮球的笨狼，他非常准确地落进硬汉子队那边的篮圈，笔直地穿过篮圈，然后稳稳地站在篮板下。

这一回，笨狼没有带头鼓掌，而是抱着球，不好意思地说："对不起，我又投篮了。"

裁判员说："你投的是对方的篮圈，又没有带球跑，这个球，算！"

球场上掌声雷动。

这确实是森林小镇篮球史上最精彩的一次投篮，光荣属于笨狼！

26. 茶杯里的苹果树

笨狼家门前的那棵苹果树，是笨狼亲手种的。

有一次，笨狼在森林里捡到了一粒种子，这是什么种子呢？笨狼不知道。他就把种子带回家，种在小茶杯里。他捧着小茶杯，心想：等它长出来的时候，我就知道它是什么种子了。

几天以后，茶杯里长出了一棵小嫩芽，两片翠绿的叶子从杯口露出来，漂亮极了。又过了几天，小嫩芽上长出了更多的叶子，变成了一棵小苗，小茶杯已经装不下它了。

笨狼找来一只小花盆，将小苗放在花盆里，培上土，浇上水。笨狼守着小花盆，仔细地看，还是不知道这棵小苗是什么。

小苗在小花盆里飞快地生长着，几天以后，茎干变粗了，还长出了小枝丫，笨狼心里好快乐。

一天早晨发生了一件事，把笨狼吓了一跳。他刚刚给小苗浇完水，就听到"嘎嘣"一声，花盆裂了，泥土碎了，一把白色的小根从花盆底下钻了出来。原来，小苗的根把花盆挤破了。

笨狼跑到聪明兔家，把这事告诉了聪明兔。聪明兔正好有一个活动大花坛，他俩就决定把小苗栽进大花坛里。他俩正推着花坛走着，迎面碰上了淘气猴和花背鸭。

"你们推着大花坛干什么？"淘气猴问。

"我把一粒种子种在小茶杯里，种子变成了一棵小苗。"笨狼说。

"小苗呢？"

"小苗栽在小花盆里，'嘎嘣'一声，花盆破了。"笨狼说。

"怎么办呢？"花背鸭担心地问。

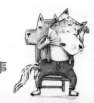

　　"我们正要把它移到大花坛里去，在路上碰上了你们。"聪明兔说。

　　淘气猴不再问了，他和花背鸭一起，帮笨狼和聪明兔推那个花坛。"骨碌骨碌"，大花坛滚进了笨狼的家。

　　你培土，他浇水，大家齐动手，把小苗移进了大花坛。大家擦擦汗，围着花坛静静地想：这是一棵什么小苗呢？

　　一天又一天过去了，小苗长成了小树。小树长得那么高，都快够着笨狼家的屋顶了；树叶长得那么密，都快要把门窗堵住了。

　　"不好啦，不好啦。"笨狼急忙告诉聪明兔，"我的屋子快被撑破了。"

　　聪明兔、淘气猴和花背鸭跑来一看，不得了啦，小苗已经长成小树了，房子还没有撑破，但大花坛已经被撑破了。

　　"小苗已经变成一棵树了，树不应该长在屋里，应该栽在外面。"聪明兔说。

　　他们一齐动手，把小树从笨狼的家里移出来，栽进门前的泥土中。小树和大枫树站在一起，显得很精神。笨狼久久地看着小树，静静地想：这是一棵什么树呢？我要是知道它是一棵什么树，我就知道我捡的是一粒什么种子了。

小树在屋外沐浴着阳光雨露，长得更快了。不久，它就变成一棵大树，树上开满了白色的小花。

"原来是一棵会开花的树呢！"笨狼高兴地告诉聪明兔。

"也许还是一棵会结果子的树呢！"聪明兔说。

"你真的是果树吗？"笨狼问树。但树不说话，只有满树白色的小花像星星一样微笑。

聪明兔的话没错，到了最后，树上结满了红红的大苹果。

"原来我们种了一棵苹果树呀！"大家吃着大苹果，自豪地说。

但是，让笨狼高兴的不是种了一棵苹果树，而是他终于知道，他在森林里捡的原来是一粒苹果种子。

大象博士听到这个消息，跑来问笨狼："你为了知道捡来的是一粒什么种子，就把种子培植成了一棵

大树，还结满了果子？"

　　"是呀。"

　　"你为什么不带着种子到我的实验室来问我呢？只要问一声，你就可以知道结果呀！"

　　"我把它种在茶杯里，也一样知道了结果嘛！"笨狼说。

27. 特别的信

外婆住在远方的一座城市里。有一天，外婆寄来一封信，信上说："笨狼，我的小外孙，好久没见你了，外婆好想你……"

笨狼也想念外婆，他要给外婆写一封信。

外婆家门前有一棵苹果树。小时候，每当苹果成熟时，笨狼就爬到树上摘苹果。外婆提着小篮子，系着围裙，站在树下喊："笨狼，小心点！"

现在，又是苹果成熟的季节了。笨狼看见院子里他自己种的那棵苹果树挂满红红的大苹果，把树枝都压弯了。

笨狼看着窗外的苹果树，忽然有了一个好主意，他要给外婆一个意外的惊喜。

笨狼在洁白的信纸上，画上了外婆家门前的那棵苹果树；在苹果树最高的枝杈上，画上自己——一只小笨狼；在笨狼的上面，又用绿颜色画上了密密层层的叶子，还用红颜色画上了一只只大红苹果。

我要把自己藏起来，藏得严严实实的，当外婆推开她那小木屋的门，来到苹果树下的时候，我就尖着嗓子大叫一声"外婆"，准会把她吓一跳。笨狼想。

笨狼吹着口哨，得意地把这封特别的信丢进了邮筒。

信寄走以后，笨狼掰着手指，一天天地算外婆什么时候能收到它。

好不容易过了一个星期。"丁零丁零"，电话铃响了，是外婆打来的。

"笨狼，你的信外婆收到了。"外婆说。

"哈哈，吓您一跳了吧！"

"哪儿的话！外婆高兴还来不及呢！苹果树画得可真好！有绿树叶，还有红苹果。"

"还有别的呢，您仔细看看，您听见我叫外婆了没有？"

"欸！听见了！"外婆在电话那头高兴地答应了一声，接着说，"外婆把你的画贴在高高的墙上，每天看着呢！"

"哎呀，外婆，您贴得不是很高吧？"笨狼担心地问。

"贴得很高很高。你不知道，隔壁熊家的三小子，比你小时候还要淘气，要是贴低了，一不留神，就会让他给撕了……"

笨狼急得叫起来："太高了，我跳下来会把腿摔断的呀！"

笨狼"咔嚓"一声挂断电话，直奔车站。

汽车、火车、飞机、轮船，两天之后，笨狼一个箭步闯进了外婆家，把正在埋头做针线活的外婆吓了个半死，还以为家里来了强盗。

笨狼没顾得上和外婆打声招呼，就稀里哗啦地搬来梯子，"噌噌噌"爬上去，小心地把墙上的画揭了下来。

　　把画摊在桌子上，笨狼才长长地舒了一口气。他把惊魂未定的外婆扶到桌边坐下，告诉她："外婆，我把自己藏在苹果树上了。我想像小时候一样，您一到苹果树下来摘苹果，我就尖叫一声，从树上跳下来，把您吓一跳。要是我从那么高的墙上跳下来，我准会摔坏腿……"

　　"这画上真有你吗，我怎么没看见呢？"外婆戴上老花眼镜，认真地看起来。

　　"就在这一只红苹果的后面。"笨狼找来橡皮擦，在画上使劲擦起来。

　　擦掉红苹果，又擦掉绿树叶，还是没有看见那只坐在树杈上的小笨狼。

　　"奇怪，哪儿去了呢？"笨狼把画举到鼻子前，仔细地找。

　　图画纸早已被擦破了，透过那个大大的洞，笨狼看见外婆正在对着他慈祥地微笑。

　　"外婆，我可想您了。"笨狼说。

　　"我也想你，小笨狼。你真的给了外婆一个很大很大的惊喜！"外婆拥抱着笨狼，高兴地说。

28. 流行性感冒

　　笨狼从外婆家回来，打老远就发现家门前站着五只老鼠。他们是老鼠外公、老鼠外婆、老鼠闺女、老鼠女婿和老鼠小外孙。他们从老远的山里来，穿着土里土气的衣服，还用小轮车推着大麦皮、玉米秸之类的粗粮。

　　"你们找谁？"笨狼问。

　　"我们来找我们的表亲——长尾鼠。他给我们来信，让我们来看他，这是他信上的地址。"老鼠外公拿出一封皱巴巴的信，信上的地址确实写着：森林小镇枫树下1号。

这信大概是长尾鼠刚霸占笨狼的房子时写的。现在长尾鼠坐牢去了。

"你们的表亲不在，他坐牢去了。"笨狼说。

"我们的表亲不在，我们怎么办呢？来一趟不容易，我们就暂时住在你家里等等吧。"老鼠外婆一边跟笨狼说这些话，一边指挥老鼠闺女和老鼠女婿往屋里搬东西。

"好吧，那你们就住下来等等吧。"笨狼答应。

刚住下的时候，老鼠一家还有点提心吊胆，大白天里从来都不敢出门，听见有脚步声就急忙躲进他们自己带来的麻袋里，一家人抱成一团。但久而久之，他们就再也不把自己当客人看了。不过，他们跟他们的表亲长尾鼠不同，他们从没想过要霸占笨狼的房子。他们从笨狼家里搬出来，紧挨着笨狼的院墙，给自己造了一座既漂亮又舒服的小房子，还称呼笨狼为"邻居"。

九月十八日晚上，河边小树林里举行萤火虫灯会，老鼠外婆碰到了小时候的朋友田鼠大婶。老鼠外婆热情地邀请田鼠大婶到家里去做客。

田鼠大婶问道："你的邻居好相处吗？"

"我们的邻居是只古里古怪的小笨狼，"老鼠外婆说，"很好相处。只是他的米口袋总是不扎紧，蛋糕和面包不放进橱柜里，害得我家小外孙已经胖得像一个圆球了。"

田鼠大婶很想吃蛋糕和面包，但她不愿冒险，她咂了咂嘴，硬是把唾沫咽了回去。

"阿嚏！"田鼠大婶打了个喷嚏，"对不起，我感冒了。我还是回去吃我自己地里种的粮食算了。"她掏出手帕来掩住嘴巴，匆匆走了。

第二天上午，天气不错，老鼠外公坐在躺椅上看报纸（他的躺椅是用两个空火柴盒做成的）；老鼠外婆坐在家门口的花树下织一条长围巾（他们的房子筑在笨狼的屋檐下，靠着一堵粉墙，粉墙前有一棵夜来香，老鼠外婆把这棵夜来香叫作花树）；老鼠闺女和老鼠女婿在草地上散步，那是真正的草地，在笨狼的院子里；老鼠小外孙在草地上追蜻蜓（这只蜻蜓长着一对金色的翅膀，美极了）。

就在这时，"阿嚏！"老鼠外婆打了个喷嚏。紧

接着，老鼠外公、老鼠小外孙、老鼠闺女、老鼠女婿全打起了喷嚏，比赛似的一声响过一声。

由于田鼠大婶得的是流行性感冒，所以害得老鼠全家都传染上了，你看糟糕不糟糕。

胖胖的青蛙大夫赶忙拎着药箱来看病。老鼠一家都躺在床上，头痛、咳嗽、流鼻涕，唉，还掉眼泪呢。

青蛙大夫对每一只老鼠都做了详细的检查，最后得出了结论：老鼠们患的是流行性感冒。

病是诊断得没错，可是打开药箱一看，治感冒的药已经没有了，更糟的是青蛙大夫自己也传染上了感冒。

"阿……阿……"青蛙大夫憋了好一会儿，把肚子胀得鼓鼓的，直到鼓得不能再鼓了，才"阿嚏"一声，像个圆球一样，向房子外面弹了出去，又"呼"的一声，被门口的那棵夜来香挡了回来。

看到青蛙大夫的药箱里没有药，五只老鼠几乎同时想到：上邻居家去借。

五只老鼠从床上爬起来，强忍着头痛和咳嗽，抹掉了眼泪和鼻涕，走进了笨狼家。青蛙大夫当然也去了，因为只有他才认得什么药是治感冒的。

笨狼不在家，五只老鼠和青蛙大夫找遍了房子里的每一个角落，还是没有找到感冒药。（哦，我忘了告诉你了，尽管笨狼的个子小小的、瘦瘦的，但身体好得不得了，从没得过病。）

老鼠们没有找到感冒药，却找到了一块面包、一片火腿和一根香肠，还找到了半瓶红葡萄酒。东西虽然不多，但办一个小小的宴会却足够了。于是，五只老鼠和一只青蛙围坐在笨狼的家里，大吃大喝起来。

他们吃得很开心，要不是喷嚏声接连不断的话，他们真要忘记自己正在生病了呢。

晚上，笨狼回来了，他看到房子里乱糟糟的，皱了皱眉头。走到厨房里，看见桌上吃剩的东西，又皱了皱眉头。皱过眉头之后，他马上就不皱了。他把剩下的面包、香肠和火腿全部吃了，又一口喝掉剩下的一点点酒。现在，笨狼的心情好极了，高高兴兴地上床睡觉。

老鼠一家和青蛙大夫全都睡不着，头痛得更厉害了，咳得更凶了，鼻涕流得更多了，喷嚏打得更响了，

怎么办?

"请我们的邻居去买药,我们就有药吃了。"老鼠小外孙说。

"吃了药我们就不头痛了。"老鼠外婆和老鼠外公说。

"也不会咳嗽、流鼻涕、打喷嚏、掉眼泪了。"老鼠闺女、老鼠女婿和青蛙大夫说。

深夜,笨狼被一阵奇怪的声音惊醒了,他从床上坐起来,拉亮灯,看见六个大白口罩一字儿排在面前,其中一个大白口罩用一种"咕呱咕呱"的声音说了一串药的名字,让他赶紧去买。

说话的大白口罩就是青蛙大夫,为了不把感冒传染给笨狼,他和老鼠们都戴了口罩。可没想到这番好意反而成了恶作剧,因为口罩实在太大了,把他们整个脸给遮住了,笨狼睁开眼睛时,就只看到一排白口罩。

笨狼以为自己是在做梦,他想这梦既然已经做了,就应该做完,要是不做完,准会睡不着觉。所以,笨狼就上街买药去了。

　　为了证明自己确实是在做梦，笨狼上街的时候，还把被子紧紧裹在身上，走路也闭着眼睛。他有两回差点掉进了水沟里，还有一次撞在电线杆上。

　　好不容易才走进黑猩猩的药店。黑猩猩把药放在筐里，在筐上绑上一根很长的木棍，才把药递到笨狼跟前。因为黑猩猩被笨狼的打扮吓坏了，猜想他一定是得了恶性传染病。

　　第二天一早，青蛙大夫和老鼠一家的病全好了，笨狼却病倒了，头痛、咳嗽、流鼻涕、打喷嚏，唉，

还掉眼泪呢。

原来，笨狼吃了青蛙大夫和老鼠们吃剩的东西，把感冒也给吃进去了。

不用去请，青蛙大夫就"咚咚咚"走来了，药箱里装得满满的，全是治感冒的药。

五只老鼠争着来照顾笨狼，他们说："别哭，吃了药就会好的。"

但是，笨狼的眼泪"吧嗒吧嗒"掉个不停。

"不是打针呢，只吃一点点药。"老鼠小外孙告诉笨狼。

笨狼不哭了，皱着眉头问："那药苦吗？"

"一点也不苦，是甜的。"

笨狼开心地笑了："原来药是甜的呀，那我一定要多生几次病。"

29. 挂在墙壁上的鸟窝

在开头你就看见，笨狼的家门前有三棵树，一棵是大枫树，一棵是苹果树，另一棵不知道叫什么名字，但知道它长着圆叶子，还结红果子。

春天，一只从南方飞来的小鸟很喜欢这棵树，在树上造了一个窝。

白天，小鸟吃树上的小红果，在树枝上唱歌，在树叶间捉迷藏。晚上，小鸟就在窝里睡觉——小鸟快乐极了。

笨狼站在树下，听着小鸟的歌声，看着小鸟在树上飞来飞去，心里也很快乐。

一天夜里，天上刮起了大风，接着，又下起了大雨。

"呼，呼，呼"，风不停地刮。

"沙，沙，沙"，雨不停地下。

笨狼想起了树上的小鸟，小鸟怕风吗？怕雨吗？小鸟的家结实吗？

笨狼爬到小树上，撑开一把小花伞，把小鸟的家，密密实实地遮在伞下。

风刮了一整夜，雨下了一整夜，笨狼撑着伞，在树上坐了一整夜。

早晨，当太阳把树叶上的水珠照亮的时候，小鸟醒来了。

"你在树上做什么？"小鸟问。

"我在为你挡风雨呀！"笨狼说。

小鸟笑了。

"我的家比你想象的要结实得多呢，它不怕风也不怕雨。"小鸟说，"你要是不信，就摇摇看吧。"

笨狼使劲摇呀摇，摇得小树东倒西歪，小鸟的家还是牢牢地挂在树上。

有一天，小鸟告诉笨狼："我要做妈妈了。"

笨狼爬到树上一看，鸟窝里只有四个绿色的鸟蛋。他吃惊地说："这就是你的小宝宝吗？长得一点也不像你呢！我担心他们不会飞，在地上滚还差不多。"

小鸟说："我还没把他们孵出来呢！"

过了几天，笨狼正在家里睡午觉，被一群小鸟的叫声吵醒了。他爬上树一看，呀，不得了啦，小鸟不见了，四只没毛的鸟宝宝坐在窝里。

"可怜的鸟宝宝，一定是冻坏了。"笨狼想。

笨狼坐在树杈上织毛衣。他要织一件红的，织一件绿的，织一件黄的，还要织一件鹅黄的。

刚刚把彩色毛线找齐，小鸟飞回来了。

"你坐在树上干什么？"小鸟问。

"我在给你的小宝宝织毛衣。"笨狼回答。

小鸟哈哈大笑，把肚子都笑疼了："你难道不知道，他们身上会长出美丽的羽毛来吗？"

如今，秋天来了。秋风吹黄绿树叶，摇落小红果。小鸟又要飞回南方去了。四只鸟宝宝已经长大，也要和鸟妈妈一起飞走。

笨狼舍不得五只小鸟。

"留下来吧，我会照顾你们的。"笨狼说。

小鸟说："现在只有南方才有绿树叶和小红果，我们要到南方去。"

笨狼揪一揪小耳朵，记起了塞在床下的彩色画笔。于是笨狼钻到床底下，把彩色画笔找出来，在小木屋的墙壁上画了一棵小树，树上画满了圆圆的绿树叶和甜甜的小红果。

笨狼把树上的鸟窝取下来，挂在墙壁上。

多美的家啊！五只小鸟再也不想飞到南方去了。

30. 孵太阳

秋天过后，天气一天比一天冷了。

青蛙和蛇平时是一对冤家，如今他们都钻到地下睡觉去了。他们的地下室紧挨着，反倒相安无事。胖棕熊的杂货店也已经关门了。

《长寿》杂志上"运动"说和"静止"说正在打架。一派说"生命在于运动"；另一派反对，说"生命在于静止"。

胖棕熊最希望自己能长寿，却不知道听谁的好。他只好决定两派意见都听。天暖和时，他就做生意赚钱，运动生命；天气寒冷时，他就钻进树洞里，去静

止生命。

不过胖棕熊的树洞里有五部电话机。如果森林里有谁想在冬天里买什么东西，给他打个电话就行了。当然不是你想买什么，他就会出来卖给你什么。他先要算一算看能赚多少钱。一般来说，利润少于五个森林币的生意，胖棕熊先生是不做的。他认为，不管怎么说，他的生命价值也不能低于五个森林币。

五只小鸟住在笨狼家的墙壁上，得到笨狼的精心照顾，一点儿不用为寒冷的天气操心。

笨狼自己当然是不怕冷的了。他总是每天一大清早就从房子里跑出来，爬到门前的树上荡秋千。

这天早晨，笨狼刚抱住树干坐在树杈上，好多叶子便"沙沙沙"往下掉。那些叶子全黄了，有的还卷着一层枯黑的边，在地上打滚。

再抬起头来看看树，笨狼吓了一跳——树光秃秃的，一片叶子也没有了，真是难看。

树上怎么能没有叶子呢？笨狼进屋找来糨糊和画笔，把地上的叶子捡起来，细心地涂上绿色，用糨糊粘回到树上。大树又像从前一样翠绿了。

笨狼往森林里看去，发现在一夜之间，差不多森林里所有的树都变得光秃秃的了，树林间新铺上了一层厚厚的落叶，像黄色的毯子一样。

在这样寒冷的天气里，不知道湖边变样了没有。笨狼的朋友花背鸭还住在湖边。

笨狼想去看看花背鸭，看她需不需要帮忙。

蓝色的湖变成了灰色，岸边的苇草全枯了。风冷冷地吹着，像刀子一样，在湖面刻出一道道波纹。

花背鸭坐在她的草窝里，头埋进翅膀底下，一动也不动。

笨狼叫了好几声，花背鸭才抬起头来说："我忙着呢，我正孵着十二个蛋。"花背鸭一年到头尽忙着下蛋、孵蛋。

"你要我帮忙吗？"

"不用。我只是担心天这么冷，我会得感冒。"花背鸭忧愁地说。

一阵风吹来，旁边的芦苇被风折断了，发出"吱吱"的声音。花背鸭打了个冷战，"咳咳咳"一阵咳嗽。

笨狼很想帮帮花背鸭，可又帮不上。他就跟花背鸭聊天："花背鸭，你知道吗？这几天，森林里落了厚厚一层树叶，树都变得光秃秃的了……"

花背鸭告诉笨狼："冬天里，树总是要掉叶子的。因为天气太冷了，地上的小虫子没被子盖，树叶就掉下来给他们当被子。"

"天为什么会冷呢？"

"我想是太阳的缘故吧。冬天里太阳不够用，有的时候，一连几天都没有太阳。"

笨狼看看天空，天空中果然没有太阳。

笨狼回家时，看到门前树上那些好不容易粘上去的叶子又全被风摇落了，心里很难过。

一定得想个法子，让天气不这么冷。笨狼想呀想，一会儿，他就有了主意。

笨狼从箱子里找出一顶最好的棉帽，还写了一封信：

亲爱的太阳：

天冷极了，森林里的大树都掉光了叶子。我的朋友花背鸭正在孵她的十二个蛋，她担心自己会得感冒。

您能为我们多孵几个小太阳吗？这事不难，您只要像花背鸭那样坐在蛋上就行了。花背鸭每年都要孵出好多小鸭呢！

要是我们有好多小太阳挂在天上，天气肯定就暖和了。送上一顶大棉帽给您做窝。

笨狼

笨狼把棉帽和信送上了东山。平时太阳总是从东山上升起，那儿当然就是太阳的家了。

黄昏，喜鹊和灰鸽在山坡上玩耍，看见那顶棉帽高兴极了："既暖和又舒服，给咱们的宝宝住最合适。"于是，喜鹊在里面下了一个蛋，灰鸽也下了一个蛋。

第二天一大早，笨狼就爬到了东山上："我要看看太阳是不是在孵蛋。"

棉帽里有两个蛋，但太阳并没有孵在上面。

"太阳，您在哪儿？"笨狼四处寻找，甚至还翻开山坡上的石头，看太阳是不是藏在里面。当然没有！此刻，太阳正费劲地拨开密密的云层，悬挂在笨狼的头上。

"哦，我知道了，您在忙。别担心，我替你孵小宝宝，我看花背鸭孵过，我知道该怎么办。"笨狼仰起脸，对太阳说。

太阳没说话，只眯着眼睛笑笑，朝笨狼的脑门抛下一缕金色的阳光。

笨狼小心地跨进棉帽，轻轻蹲下身子，用大尾巴将两个蛋盖得严严实实。

笨狼过一会儿就抬起尾巴看看两个蛋，还贴着耳朵听听，可是蛋里边一点动静也没有。这真是个费心的差事。笨狼又累又困，打着哈欠，慢慢睡着了。

笨狼做了个甜甜的梦。他梦见两个小太阳调皮地掀开他的大尾巴，从棉帽里爬出来，一扭一扭朝天上走去，他们的妈妈笑眯眯地在天上迎接他们……天气一下子暖和了，光秃秃的树枝上吐出翠绿的树叶……

"嘿嘿，嘿嘿嘿……"笨狼笑起来。

"快醒醒，笨狼，天都黑了！"笨狼睁开眼睛，看见聪明兔在面前。

聪明兔一整天没看见笨狼，很担心，就到处寻找。找到东山上，看见笨狼蹲在一顶棉帽里，睡得正香。

"你在干什么？"

"孵太阳。"笨狼说。然后，他翘起尾巴，让聪明兔看棉帽里的蛋。

聪明兔忍不住笑起来。聪明兔告诉笨狼，太阳是不会下蛋的。他还告诉笨狼，一年有春夏秋冬四季，这是大自然的规律。小草在冬天枯萎，树叶在冬天凋落，是为了化作泥土，让明年春天的花开得更美，树叶长得更绿。冬天天气虽然寒冷，但寒冷也是有好处的。冬天里，还有美丽的雪花……

"雪花？我想看看！"笨狼性急地说。

聪明兔说："现在还不行！现在我们要回家去了。等天气再冷一点，天空会落下雪花的……"

31. 把雪人带回家

在遥远的北方，有一个神秘的山洞。山洞里住着瘦得奇怪的冬婆婆，她的白头发有三百六十米长，她的白棉絮像我们头顶的天空那么大。

淘气的风孩子溜进冬婆婆的山洞，鼓起腮帮子吹一口气，就刮起一阵大风，卷走了冬婆婆的白棉絮。

风孩子吹呀吹，吹得破碎的棉絮漫天飞舞。

大地上就下雪了。

雪花飘飘洒洒，像无数轻盈的白蝴蝶在飞。笨狼看见下雪了，高兴得叫起来："啊，雪花！这就是聪明兔说的雪花！"

笨狼推开小木窗，看见雪中的森林美极了，美得让他张大嘴巴想了半天，也没法找到一个词儿来形容。

聪明兔蹦蹦跳跳地来了，猪小胖摇摇摆摆地来了，淘气猴一扭一扭地来了。

"来吧，笨狼，我们一块儿堆雪人。"他们说。

"好的。"笨狼答应一声，像离弦的箭一样跑出了自己的小木屋。

他们一起滚一个大雪球做身子，再滚一个小雪球做脑袋。

该给雪人安眼睛了。雪人的眼睛是长在脑门顶上呢，还是鼻子底下？伙伴们全都拿不定主意。他们还是头一回堆雪人。

"不管它长在哪里，一定是双小眼睛，用这两粒绿豆来做最合适。"猪小胖说。因为他自己的眼睛小，所以他认为小眼睛是世界上最好看的眼睛。

"当然是大眼睛好看一些啦！就用我带来的红纽扣做，保准漂亮。"聪明兔说。

淘气猴很不友好地瞪了聪明兔一眼，撇撇嘴说："我们还不如堆个雪兔子呢！"

唉，你看，连眼睛该安在哪里都还没弄清楚，就为用什么做眼睛生气，这多不好！和伙伴们处在一块儿时，笨狼从不和大家争吵。他是一个实干家。他说："我们走出森林，去看看城里的孩子们堆的雪人是什么样，我们回来照着他们的样子做，好不好？"

主意是不错，可是，这样的大雪天，谁愿意跑远路呢？

猪小胖说："我太胖了，跑不快。"

淘气猴说："我跑步没问题，但是，我肚子有点不舒服。"

聪明兔看看笨狼，为难地说："我衣服的颜色和雪地是一样的，我要是跑得太远了，迷了路，你们就没法找到我，你们一定会着急的。"

"那我去吧。你们在这儿等着我回来，再一块儿堆雪人。"笨狼说。

头顶上纷纷扬扬的雪花，直想迷住笨狼的眼睛；脚底下"咔吱咔吱"响的积雪，一心想咬住笨狼的靴子；风孩子还经常恶作剧，摇落一树又一树积雪，扔进笨狼的脖子。

总算走出了森林。

在城郊，有一群孩子在打雪仗、堆雪人。孩子们的手真巧，他们堆的雪人有高的、矮的、胖的、瘦的，各式各样，看得笨狼的眼睛直发愣。

有个小男孩堆的雪人最神气，腆着个大肚子，顶着个圆脑袋，脸上有一个用胡萝卜做的长鼻子和一双黑纽扣做的小眼睛，当然，鼻子下面还有两撇用胡萝卜须做的红胡子和一张吓人的大嘴巴。

笨狼想：这个雪人好玩，我们在森林里堆的雪人也应该是这个样子。

笨狼朝小男孩走去，他想跟小男孩学着堆雪人。

男孩一抬头，看见从森林边跑来一只狼，吓得尖叫起来："狼来了——狼来了——"

别的孩子听到喊声，一窝蜂跑了。

笨狼也被男孩的尖叫声吓着了，正在不知道怎么办才好时，看见男孩因为跑得太急，摔倒在雪地上，便跳过去扶起小男孩，说："我是来跟你学堆雪人的。"笨狼还眯起眼睛笑了笑。

笨狼不知道他这一笑，从嘴里笑出了两排大狼牙。

小男孩看见笨狼的牙齿，不知哪儿来的力气，猛地把笨狼推了个四仰八叉，一下子跑得没影了。

雪地上空空荡荡，只留下笨狼和那些高高矮矮胖胖瘦瘦的雪人在一起发呆。

笨狼等了一会儿，不见孩子们回来，便背起了男孩堆的那个胖雪人，深一脚浅一脚地回到森林里去了。

回到森林小镇，天已经全黑了。聪明兔、猪小胖、淘气猴早回家了。要堆雪人，只有等明天了。

跑了老远的路，还背着一个胖雪人，笨狼累坏了。但是，看着地板上的胖雪人，他的心里甜丝丝的。

靠着温暖的壁炉，笨狼一会儿就睡着了。睡着了还在想：明天要和伙伴们一起，在森林里堆一个好看又好玩的胖雪人。

顶顶奇怪的是，早上起来，笨狼发现胖雪人不见了。在湿漉漉的地板上，笨狼只找到一根胡萝卜，两把胡萝卜须和两粒黑纽扣。

唉，雪人跑了！笨狼急忙去找聪明兔、猪小胖和淘气猴，让他们一起来寻找胖雪人。

聪明兔走进笨狼的屋子一看，全明白了："笨狼，

雪人没跑，它只是化了，变成了水。因为你房子里生着炉子，太暖和了。你要是把胖雪人放在外面的雪地上，它就跑不了了。"

"为什么放在外面跑不了，放在家里，有门窗关着，它反而跑了呢？我真弄不明白。"笨狼说。

"别管那么多了，我们一起去堆雪人吧。"猪小胖和淘气猴说。

大家又一起到雪地上去堆雪人。这一回，大家都听笨狼的，因为他到森林外边去过，见过孩子们堆的雪人，还把一个雪人背回了家。

不一会儿，大家用胖雪人留下的两粒黑纽扣、一根胡萝卜和两把胡萝卜须，堆成了一个好看又好玩的胖雪人。大家都很满意，因为这个雪人看上去有点像笨狼，有点像聪明兔，有点像猪小胖，还有点像淘气猴。

32. 煮雪糕

堆完雪人回到家，笨狼搓搓手，想弄点什么好吃的招待朋友们。

笨狼打开冰箱找东西，找着找着，笨狼找到一样好东西：大雪糕！

"我找了你们一夏天都没找到，原来你们躲在这里呀！"

今年夏天，天气实在太热了，笨狼就买回了一堆雪糕。当时，笨狼刚把雪糕放下，只到洗手间擦了一把汗，就怎么也找不到那些大雪糕了。

原来，笨狼嫌雪糕冰得不够，把它们放在冰箱的

冷冻室里加冻。笨狼的记性不好，一放就忘了，再也没找到。

谁能想到在冬天里还有雪糕吃呢？笨狼决定给朋友们一个惊喜。他笑眯眯地走到大家跟前，对大家说："你们都把手洗干净，坐到桌边等着，我请大家吃大雪糕！"

冬天里有大雪糕吃，太棒了！大家都赶快洗手，坐在桌子前。

笨狼独自在厨房里忙开了。

"雪糕在哪里呀？"聪明兔忍不住伸着脑袋朝厨房里张望。

"出去！出去！一会儿就知道了！"笨狼把聪明兔的聪明脑袋推出厨房，还"砰"的一声把门关上了。

想起雪糕的滋味，淘气猴和猪小胖直咽口水。

厨房的门终于打开了，笨狼一边得意地唱着歌，一边把四个杯子放在桌子上。

每个杯子里放着一根小木片，一股甜甜的热气从杯子里冒出来。

笨狼热情地招呼大家："吃吧！"

大家"咕嘟咕嘟"，两口喝干了杯子里的东西。

喝完了，大家都看着笨狼，等着他拿雪糕出来。

笨狼见朋友们老盯着自己，觉得挺奇怪："你们干吗总看我？"

淘气猴说："等你拿雪糕给我们吃呗！"

笨狼叫起来："你们刚才都吃过了，怎么还要？"

大家不承认："刚才是喝牛奶，不是吃雪糕！"

"才不是牛奶呢，就是雪糕。你们看这根小木片，不是雪糕上的吗？"笨狼抓起杯子里的木片给大家看，还说，"天气这么冷，我怕大家吃凉东西肚子痛，就把大雪糕煮熟了。"

"哎呀，雪糕怎么能煮呢？"聪明兔、淘气猴和猪小胖一齐叫起来。

33. 不说再见

爸爸又来信了：

亲爱的笨狼：

我还没追上你的妈妈。我听说她在罗马，可是，等我赶到罗马的时候，她又到瑞士滑雪去了。

我昨天晚上来到了瑞士，到处打听你妈妈的下落。跟她住过一个旅馆的波斯猫小姐告诉我，你妈妈昨天去丹麦看美人鱼去了。

你别着急，我这就动身去丹麦。

在外面旅行很快乐，我认识了一个整天掉眼泪的鳄鱼先生和一个肚子上长着皮口袋的袋鼠小姐。我们明早一起去丹麦。

爱你的爸爸

妈妈也来信了：

亲爱的笨狼：

我在外面旅行很快乐，就是想你和你爸爸。

我今天在海边碰上了一个头上只长着一只角的犀牛先生，他说你爸爸在罗马找我。我决定乘今天下午的班机离开哥本哈根，到罗马去找你爸爸。

爱你的妈妈

爸爸妈妈来信是一件值得大家高兴的事，笨狼收到信，就拿到聪明兔家，和聪明兔一起看。

聪明兔看完信，对笨狼说："笨狼，依我看，你爸爸妈妈这辈子都别想再碰面了。"

"为什么？"

"你想啊，他俩你追我，我追你，可怎么追得上呢！得有一个停下来，在什么地方等着另一个才行。"

聪明兔还找出一张地图，告诉笨狼罗马、瑞士和丹麦分别在哪里。

笨狼说："爸爸不能再到丹麦去，应该回罗马去等着妈妈，对吧？"

"对呀！可是，你爸爸不知道你妈妈到罗马去找他了呀！"聪明兔说。

笨狼想了想，说："他会知道的，你等着瞧吧！"然后，转身跑回家去了。

笨狼要去找爸爸，把妈妈写的信交给他，让他知道妈妈到罗马去找他了。

爸爸出门的时候告诉笨狼，让他把家看好，别让小偷把东西偷走了。

可不能让小偷知道我出门了！笨狼一边收拾东西一边想。

笨狼把家里的东西清点好，还在每样东西上都贴上字条，写着："笨狼的冰箱""笨狼的桌子""笨狼的小板凳"……

临出门，笨狼还不放心，又在门上贴了一张字条，写着：

此处共有笨狼一只，东西十一件，任何小偷不得
拿走。

笨狼没出门去找爸爸，不信你去问聪明兔、淘气
猴、猪小胖、小松鼠、胖棕熊先生……笨狼没跟他们
说过再见。

为了迷惑小偷，笨狼还故意让大门开着，好像里
面还住着笨狼一样。

笨狼悄悄地离开森林，没有和朋友说再见。一方
面是怕小偷知道，另一方面是因为他很舍不得和朋友
们分别。他想：只要我没有跟他们说再见，我就没和
他们分开，我的心里就不会难过。

笨狼起劲儿地走着，白色的小木屋在他的身后越
来越小，一会儿就看不见了。

笨狼大事件

1994 年 2 月，《半小时爸爸》《笨狼上学》等五篇故事荣获第七届台湾信谊幼儿文学奖。

7 月，台湾信谊基金出版社出版《笨狼的故事》，参加当年台湾"好书大家读"活动，获得好评。

1995 年 5 月，台湾信谊基金出版社出版《笨狼画画》，收入《笨狼画画》《把家弄丢了》《坐到屋顶上》等三个故事。

1996 年 笨狼的系列故事开始在拥有百万读者的《小学生导刊》连载，持续三年，共载三十三个故事。

1998 年 长篇系列童话《笨狼的故事》出版，共收入三十三个故事。

1999 年 "笨狼的故事"改编成卡通脚本，在《好儿童画报》连载。并于 2000 年 8 月，获得该刊第十四届新芽奖。

9 月，《笨狼的故事》获得首届张天翼童话寓言奖·宝葫芦大奖。

2000 年 5 月，《笨狼的故事》获得第五届宋庆龄儿童文学奖。

2001 年 10 月，《把家弄丢了》《奶油淋浴》《笨狼是谁》《进城历险》《冰冻太阳光》《孵太阳》彩绘版出版。

2002 年 5 月，《笨狼的故事》获得中国作家协会第五届全国优秀儿童文学奖。

2003 年 《笨狼的故事》续集《笨狼的学校生活》《笨狼和他的爸爸妈妈》开始在《小学生导刊》连载，持续到 2005 年。

2004 年 5 月，《笨狼和他的爸爸妈妈》《笨狼的学校生活》《笨狼旅行记》出版。

2008 年 1 月，《笨狼的学校生活》获得第三届毛泽东文学奖。

2010 年 9 月，《笨狼和聪明兔》出版。

2013 年 《笨狼的故事》四册选入"红鞋子童话"出版。

2014 年 笨狼三册新作《笨狼和胖棕熊》《笨狼奇遇记》《笨狼追月记》陆续出版。
"笨狼的故事"系列 20 周年精装纪念版集结出版。

笨狼画者创作记

 ——小朋友们，你们知道我是怎么被画出来的吗？像挑电影明星一样，经过层层选拔出来的，所以我现在是 super star！

 ——你们看我家里面的家具。我家里的镜子、冰箱、桌椅、储物柜，是不是很酷？注意哦，它们全都长了耳朵，是"笨狼"款的！

 ——亲爱的小读者，还有一个小细节，这个小老鼠总是抢我的戏。最后谢谢段张取艺工作室的插画家们，真是很辛苦呢，花费了大量的心血才有了我现在的样子！